LES FILS DE FREUD SONT FATIGUÉS

DU MÊME AUTEUR

Pour une critique marxiste de la psychanalyse, Editions sociales, en collaboration avec Lucien Sève et Pierre Bruno.

Lévi-Strauss, ou la structure et le malheur, Editions Seghers.

Le Pouvoir des Mots, Editions Mame, collection Repères.

La Jeune Née, en collaboration avec Hélène Cixous, 10/18.

Miroirs du Sujet, 10/18.

CATHERINE CLÉMENT

LES FILS DE FREUD SONT FATIGUÉS

BERNARD GRASSET
PARIS

Pour Jacqueline Rousseau-Dujardin
et pour tous mes amis psychanalystes

« Plus un film est autobiographique,
plus il est objectif. »

FEDERICO FELLINI.

CHAPITRE PREMIER

LES NOUVEAUX RICHES DE L'INTELLIGENTSIA

Xanadù.

Ce sont de très braves gens. On les appelle psychanalystes. Honnêtes, ils travaillent, échangeant, comme tout le monde, du travail contre de l'argent. Ils travaillent plus dur qu'on ne le croit souvent, tout le jour; tout le jour, ils écoutent ceux qui s'en viennent les voir, à rythme régulier, et s'en repartent, ayant construit un peu de leur histoire, ayant perdu un peu de leur souffrance. Ils sont les dépositaires malheureux d'une des plus formidables découvertes scientifiques du XIXe siècle. Ils portent sur leur dos, dans leur tête et dans leurs mots l'image mythique d'un père découvreur, Sigmund Freud. Ils forment un groupe, des groupes, des groupuscules. Ils soignent. Ils guérissent. Ils interviennent dans la vie des gens, dans leurs malaises quand ils empêchent de vivre, et pendant de longues heures, éparpillées dans le temps, ils se font payer pour démêler l'écheveau historique des petits passés troublés, jusqu'à ce que...

J'oubliais. Je parlais trop simple. Ils ne soignent plus; ils s'en défendent maintenant. Guérir? Ce vilain mot qui relève d'une société où ils ne veulent plus s'insérer, disent-ils; d'un monde où ils se veulent marginaux, disent-ils; d'un système qu'ils cherchent à défaire, disent-ils. Guérir, un mot qui les rebute, qui leur fait pousser des cris d'orfraie, comme si, en l'employant, on les insultait gravement. Guérir, c'est bon pour les psychiatres, pour les psychologues, pour les médecins, pas pour eux : à d'autres... Pourtant, on ne se trompe pas, c'est bien de là qu'un jour ils prirent la route. C'est bien de cure qu'il s'agissait, il y a longtemps, quand ils partirent, comme Moïse et ses lévites, quittant l'Egypte tyrannique de la psychiatrie coercitive, pour les rivages incertains de la parole promise, pleine de possibles. Oui, ils partirent de la médecine, et de ses fonctions guérisseuses, et rien n'a manqué à cette longue marche pour qu'elle ressemble au modèle biblique de la traversée du désert : révoltes successives contre des Moïses successifs, tables de diverses lois fracassées contre de multiples veaux d'or, petits meurtres symboliques, grandes armées verbales, trompettes et anathèmes... Tout un déploiement de mots.

Qui sont-ils devenus aujourd'hui, s'ils n'assument plus leurs fonctions guérisseuses? Qui sont-ils, eux qui ont empli notre monde de leur présence, de leurs écrits, de leurs interventions? Au nom de quoi parlent-ils, quand ils apparaissent sur les écrans de télévision, dans les colloques, dans le monde des livres, précédés ou non du titre de docteur, mais affichant bien clair leur titre de « psychanalyste », comme si cela allait de soi? Ce ne sont pas des médecins. Soit. Juridiquement, socialement, ils n'en ont effectivement pas le statut, puisque cet étrange métier, qui n'est nulle part reconnu en France, n'entre pas dans les voies de la Sécurité Sociale, sauf par la bande, sous couvert de ce qu'ils refusent et haïssent, la psychiatrie et la psychologie. Les uns peuvent avoir été médecins dans une existence antérieure; c'est-à-dire qu'ils sont passés par de longues études, médecine générale et psychiatrie, pour ne plus jamais s'en servir. Ceux-là ne manquent jamais de préciser qu'ils avaient oublié, ou qu'il fallait oublier cette formation antérieure pour devenir psychanalyste; qu'en tous les cas cela les gênait, plutôt que de leur venir en aide. Les autres viennent de nulle part. Psychanalyste, on peut le devenir en France en se faisant soi-même analyser suffisamment longuement, sans rien d'autre pour accéder à la pratique que sa propre analyse, et le secours d'autres analystes qui « contrôlent » les débuts dans la profession. Ce ne sont donc jamais des médecins.

Ce ne sont pas non plus des psychologues, ces êtres hybrides mi-scientifiques mi-thérapeutes, qui selon les cas administrent des étiquettes prises dans des typologies multiples, posent des diagnostics, ou se livrent à des expériences. Ce ne sont pas davantage des philosophes, leur métier ne consiste pas à se faire payer pour dire, inventer ou répéter des raisonnements, des idées, des mythes. Ce ne sont pas des... Bon, admettons que ce sont des « pas-des ». Une chose est sûre : sans attribution sociale reconnue, sous le sigle de l'inconscient, ils se sont mis à occuper une place effective dans le monde où se fait de la publication. Les maisons d'édition, une à une, se mirent à ouvrir des collections de psychanalyse. Cela commença par celles qui se spécialisaient dans le genre encyclopédique : il fallait bien ajouter aux définitions de la connaissance la connaissance de l'Inconscient. Mais voyez maintenant : pas une qui échappe. Gallimard : *Connaissance de l'Inconscient*. Presses universitaires de France : *le Fil rouge*. Le Seuil : *le Champ freudien*. Denoël : *Freud et son temps*... Plus, par maison d'édition, des revues baladeuses, foisonnantes, passagères et sans cesse renaissantes. Qui s'en occupe? Les psychanalystes. Promus directeurs de collection, et auteurs en même temps.

Pourquoi pas? Il se publie tant et tant de choses, et ce livre que j'écris qui va s'ajouter à la pile... Pourquoi pas? Est-ce que les médecins ne publient pas, par les temps qui courent, de volumineux ouvrages qui se vendent fort bien? Pourquoi pas, puisqu'il existe un public pour recevoir cette masse de plus en plus grande? Car, si cela se publie, c'est que cela se vend. Et, s'il ne s'agissait que d'un circuit fermé, de livres écrits par des psychanalystes pour des psychanalystes, quelle maison d'édition prendrait le risque de les vendre? Ou bien cela signifie pour ladite maison d'édition un certain « standing », mais c'est alors que la psychanalyse confère ce standing distingué; ou bien il existe réellement un public pour cette littérature, un public mélangé. Pour partie, les éternels curieux d'inconscient, héritiers des lecteurs d'occultisme et d'horoscope, toujours à la recherche de recettes pour vivre; pour partie, les éternels suiveurs de l'intelligentsia, à l'affût de « ce qui se dit » dans la Ville, de ce qui fait rumeur, où, comment, dans les ruelles invisibles de quels circuits dans les têtes? Avec, dans ces petits circuits, deux pompes pour amorcer le flux : la pompe « Freud », en collection de poche, en édition courante, intarissable filon pour les commentateurs de Freud, et la pompe « Lacan », parcimonieusement distribuée au fil des années, soigneusement éditée, familialement surveillée.

N'importe quel analyste peut donc aisément publier un livre, pourvu qu'il se rattache à ces deux pompes; pourvu qu'il y traîne de l'inconscient, quelques histoires « vraies » un peu romancées, et quelques considérations obligatoires sur la crise de la civilisation. Et sur le destin de la psychanalyse. Au petit bonheur, se publient des textes d'inégale valeur; souvent, le livre tombe des mains. N'importe, il sera acheté. L'autre jour, à Vincennes, une étudiante m'a décrit, aussi précisément que possible, le circuit dans sa tête qui lui a fait acheter un livre d'analyste. Auteur : Ilse Barande. Titre : *le Maternel singulier.* Ni l'auteur ni le titre ne constituaient une amorce en soi suffisante. Mais, feuilletant le volume, l'étudiante vit que l'auteur était une femme, qu'il s'agissait du célèbre vautour de Léonard de Vinci vu par Freud (donc la pompe remontait au robinet freudien) et puis, comme la question de la mère la travaillait quelque peu, elle fit emplette. On pourra compter chaque fois sur la validité d'un titre travaillé dans l'énigmatique (*Un œil en trop*; *le Céleste et le Sublunaire*; *On tue un enfant,* etc.); sur un feuilletage rapide où des mots codés arrimeront la lecture rassurée par le familier (Œdipe; Hamlet; Gradiva, Léonard de Vinci; signifiant, mathème, impossible, symbolique, etc.); enfin sur la rencontre entre la visée fantasmatique de l'acheteur et l'image sociale, désormais installée, du psychanalyste titulaire des vérités premières.

N'importe quel analyste peut donc aisément se faire publier. Mais on dirait autre chose. On dirait que nul ne peut être vraiment psychanalyste s'il n'a pas publié. S'il n'a pas écrit au moins un livre, c'est-à-dire deux, bientôt trois, c'est-à-dire, quelque part, un embryon d'œuvre. « C'est pas tout ça », pense l'analyste qui dispose d'une solide clientèle, d'un petit séminaire où se rassemblent vingt personnes, et d'un petit bruit qui frémit autour de son nom propre, « c'est pas tout ça, va falloir faire un livre. Cela se fait. » Qu'il s'agisse de publication ne parvient pas, le plus souvent, à la conscience politique de l'intéressé. Que les livres soient des objets de commerce, qui rapportent à l'éditeur, qui rapportent à l'auteur, cela ne les concerne pas vraiment. Sur ce point ils participent, au même titre que la plupart des intellectuels, de la fausse pudeur, genre cornichon distingué, qui refuse de savoir ce que devient un manuscrit quand il est remis à l'éditeur. Non, ils ne publient pas pour des raisons d'argent, et leurs contrats sont aussi dérisoires que ceux qu'on accorde aux professeurs, quand encore on ne leur demande pas de participer aux frais. Non, il s'agit bien chez eux d'une demande sociale précise : le nom sur une couverture, un objet à distribuer, à envoyer, à dédicacer, à en observer les effets jalousement. Ce sont, somme toute, de vrais auteurs.

Mais jamais l'obligation de publier n'a fait partie du métier de psychanalyste. Perfidement, on pourrait penser qu'il pourrait peut-être s'agir d'un appât pour la clientèle; parfois, il est vrai, cela pourra fonctionner ainsi. Pourtant, ce n'est pas le cas du plus grand nombre; et je connais trop de psychanalystes qui débordent de clients sans avoir publié, pour que cette illusion soit tenable. Car, vous savez, parmi les psychanalystes, il y a aussi ceux dont vous n'entendrez jamais parler : ceux-là ne font pas partie de mon rôlet. Ceux-là, ils sont dans les dispensaires, les hôpitaux, ou simplement chez eux, et ils exercent le difficile métier d'écouteur. Mais, s'il n'y avait eu qu'eux dans la déjà longue histoire de la psychanalyse, celle-ci ne serait pas devenue le pays imaginaire de toutes les illusions miroitantes de l'écriture et de la théorie. Ce pays exotique, d'où reviennent des explorateurs fatigués, riches d'épices inconnues, de piments nouveaux, de coquillages insensés qui viennent orner les livres des autres, puis les leurs. Ce pays comme la maison immense que s'était construite le citoyen Kane : Xanadù, pays baroque où se mêlent les architectures de toutes époques, où l'on erre enfermé dans les rêves trop bien réalisés. Ce pays où meurt Kane, tenant à la main le morceau de jouet où est encore inscrit le « Rosebud » qu'il n'aura jamais trouvé. Ce pays qui n'est pas la cure, et son efficace simplicité, mais l'univers de l'inconscient tel qu'ils l'ont construit de leurs mots, et qui joue, dans notre monde, le rôle mythique d'un Eldorado théorique. Où vont se retremper les intellectuels à bout de souffle, où vont puiser les théoriciens en chasse de nouveaux concepts, où se ressourcent la philosophie, l'ethnologie, l'ensemble des sciences humaines, où les penseurs de la politique ne dédaignent pas d'aller faire un tour pour verrouiller un peu plus l'idéalisme environnant.

Emploi du temps.

Toute la journée, ils répètent les mêmes gestes. Faire entrer quelqu'un, s'asseoir, écouter; se lever, encaisser, faire sortir, au suivant. Rituel de la consultation médicale, dont il ne reste plus que le squelette. Pas d'ordonnance, pas de papier écrit qui restera dans la main à titre de preuve, pas de questions précises, pas de toucher sur le corps. Rien que du langage. Toute la journée, ils écoutent du langage, et parfois, ils répondent : jamais à ce qui se dit dans l'instant, peut-être à ce qui s'est dit, un jour, longtemps auparavant, et dont ils ont gardé l'étonnante et mystérieuse mémoire sur laquelle Freud fait reposer la communication entre l'inconscient du patient et celui du psychanalyste.

Patient : ils n'emploient plus guère ce mot-là. Client, non plus. Pourtant c'est bien de cela qu'il s'agit; et ils buteront longtemps sur ce simple phénomène qui les fait exister : des gens leur arrivent, envoyés par X ou Y, qui a donné un nom, un numéro de téléphone, ou bien ils ont trouvé dans l'annuaire. Et ces gens-là viennent pour « aller mieux ». Pour trouver de l'aide; ce qui se dit encore, chez nous, se faire soigner. Pour guérir de quelque chose, même s'ils savent, en arrivant, qu'ils sont malades de leur passé, et qu'il s'agit de soigner en eux une origine historique et confuse. Et, s'il est décidé que tel ou tel commence son analyse, il s'en viendra parler, avec peine, en payant, et escomptera fermement, de son côté, qu'il s'en trouvera mieux. *Patient :* c'était un vieux mot du vocabulaire médical, un mot de passivité et d'obédience. Moi je l'aime bien ce vieux mot, parce qu'il fait double sens aussi : patient, il faut bien l'être, jusque dans le désir de guérir qui prendra de multiples détours avant d'arriver à terme. Mais précisément, le terme d'une psychanalyse devient de plus en plus confus et insaisissable; depuis que Freud a écrit un célèbre texte pour démontrer qu'une analyse était quelque part interminable, le terme de l'analyse est devenu fuyant. Beaucoup résolvent le problème en passant du côté des fauteuils, en devenant psychanalystes eux-mêmes : et vous expliqueront le plus tranquillement du monde que c'est là une bonne manière de continuer le processus entamé. Une longue, très longue entrée en patience, celle qui conduit à ne pas sortir du circuit de l'analyse. Et des milliers de petits inconscients, prenant un beau jour le chemin des divans, se mirent à n'en plus jamais sortir.

Alors on a remplacé ce mot passif et décourageant par un mot actif, encourageant et participant : patient est devenu « analysant ». Est analysant celui qui est en analyse; analysé (une rareté) celui qui a terminé son analyse, et analyste, l'opérateur. Celui donc qui se tient dans le fauteuil, et qui est payé pour écouter. Dur travail, d'immobilité physique, de contrainte et d'attention : cette attention spéciale que l'on appelle « flottante », et qui demande qu'on veuille bien se mettre dans un état bizarre, une sorte de non-vie, proche du rêve, si proche du sommeil que, parfois, cela arrive, l'analyste — ou le patient — s'endort réellement. C'est un travail fatigant, disent-ils. Et, si j'en juge à ma propre fatigue de patiente, au sortir de certaine séance où le corps — qui n'a rien fait cependant que d'être allongé sans bouger — est moulu comme par une folle course, courbé sous le poids des mots dits, il faut les croire, et évaluer leur fatigue à son juste prix. Celui qu'ils demandent justement. Et ainsi, dans cet espace clos qu'ils ont aménagé en repos pour l'œil et le confort pour le corps, ils passent de l'un à l'autre, d'une souffrance l'autre, jusqu'à ce que vienne la fin du jour. Cueillez-les à ce moment précis : ils ne sont pas dans leurs pompes. Un peu hagards, un peu rêveurs, comme s'ils venaient de loin après un long voyage. Il leur faut un bon moment pour retrouver les gestes les plus quotidiens, la marche souple, l'agitation vivante et stéréotypée d'un repas, d'une course à faire, ou d'une conversation où quelqu'un parle, et où il faut répondre, bêtement, à ce qui vient d'être dit.

Bah, pas de quoi fouetter un chat. Ce sont là les signes normaux de travail intensif, et de son arrêt. C'est bien ce que je voulais dire : d'honnêtes gens, qui travaillent vraiment. Et qui guérissent vraiment. J'en connais qui laissent poindre une enfantine fierté lorsqu'une histoire complexe se résout; d'autres qui sont préoccupés, au-delà de tout, si un patient va mal. Pourquoi diable alors sont-ce souvent les mêmes qui prenant des airs importants, émettent des phrases elliptiques et mystérieuses sur les objectifs de leur pratique : non, l'analyse, ce n'est pas fait pour guérir. C'est tout autre chose. C'est une intervention dans la culture; c'est une lutte subversive contre l'idéologie dominante (version gauchiste issue de Mai 68, un peu vieillie mais toujours efficace); c'est un mode de pensée, un mode d'être. C'est une recherche. C'est une façon de vivre. C'est tout un ensemble métaphysique, où disparaît honteusement la réalité quotidienne : des gens qui vont mal viennent là pour aller mieux.

Cet étrange décalage entre ce qu'ils font et ce qu'ils disent qu'ils font trouve son aboutissement dans leur emploi du temps. Le psychanalyste, sorti de son fauteuil et quand il ne se livre pas aux activités sociales de tous (ils bouffent, dorment, baisent, vont beaucoup au cinéma, etc.), se réunit. Se réunir est pour lui une nécessité vitale; plusieurs soirs par semaine, séminaires, réunions de travail, cartels, travail sur texte, commentaire inlassable des deux Bibles déjà citées : Freud et Lacan. Cela se fait dans des lieux qui s'appellent Ecole, ou Institut; il y a des programmes, des cours, cela fonctionne comme une Université parallèle. De quoi s'entendre mutuellement jusqu'à la fin des temps. Il semble que cela fasse partie de ce métier.

Parfois, et ce fut le cas du grand clown Lacan, cela s'installe bien au chaud au cœur même de l'institution universitaire, repoussoir adoré et haï; cela prend la forme la plus arriérée, celle qu'aucun universitaire un peu lucide n'oserait plus pratiquer sans un vague remords, le cours magistral. La parole souveraine, dominante, unique, sans question possible. A cette forme de parole, une seule réponse m'a toujours paru juste : la farce, le khânular que des normaliens, plusieurs fois de suite, mirent en action dans le séminaire de Lacan pour faire éclater la parole. Pétards, boules puantes, musique intempestive, juste retour de la trivialité là où se manifestait le dogme vivant. A l'époque où je vénérais la parole des maîtres et des sous-maîtres, j'étais horrifiée par ces procédés. Aujourd'hui j'en reconnais la portée; mais ils n'ont pas empêché grand-chose. Lacan cependant n'était pas en cause : il n'a jamais fait, le pauvre, que pousser à l'extrême les pratiques des autres, et systématiser avec génie une entrée de clown latente dans la psychanalyse. Autant de psychanalystes, autant de petits lacans; chacun fait son séminaire — coup de téléphone discret de l'ami psychanalyste : j'aimerais bien que tu viennes à *mon* séminaire, tu verras, ça t'intéressera, on va y parler de... Chant des sirènes intellectuelles : combien de fois n'ai-je pas cédé, combien de fois n'ai-je pas vu le petit cirque, sans même le brio qui réveille, se mettre en place avec toujours les mêmes mots, toujours les mêmes apories. Chacun fait sa réunion, parle parle, exerce avec jubilation le langage, dans la forme la plus opposée à celle qu'il administre dans son métier quotidien.

Car : parler, parler, quand on écoute toute la journée, cela doit être comme une violente envie, aussi incoercible qu'une envie de pisser longtemps retenue. Mais la pratique de l'écoute donnant quand même, outre un métier, des habitudes, apparaît une drôle de forme de discussion. La parlote analytique a ses règles, ses coutumes, ses codes. Dans les anciens temps — il y a environ une quinzaine d'années — ils parlaient tout bêtement comme des universitaires, exposant laborieusement de lourdes constructions à base de textes, exhumant des fragments de Freud, rapetassant des morceaux de théorie, parfois avec des schémas dont ils étaient tout fiers. Et puis, tranquilles, ils s'en allaient, sûrs que leur curieux métier reposait sur une base solide, la loi du texte freudien, vérifiée à l'infini par un petit récit puisé dans le matériau du jour. Légitime, cette nécessité de se rassurer entre soi; après tout, aucune science n'a jamais procédé autrement.

Et puis Lacan inaugura un truc formidable. Il se mit à parler en associant aussi librement que s'il était en train d'écouter. Feignant si bien l'association — qui peut s'appeler aussi l'improvisation — que l'auditoire, fasciné, ne comprit pas qu'il pouvait s'agir de poésie. Génial procédé, aussi inventif dans l'histoire de la rhétorique universitaire que la fixation, au Moyen Age, des règles de la *disputatio* d'où émane, encore aujourd'hui, le modèle de toute dissertation. A un exposé construit en thèses contrariées, petit a, petit b, petit c, comme dans la chanson des Frères Jacques, c'était en effet génial de substituer une parole rêveuse, sans aucun de ces petits liens qui ligotent un discours démonstratif. Plus de Mais, de Ou, de Et, de Donc, de Or, de Ni, de Car; voilà pourquoi sans doute la dernière revue de l'Ecole Freudienne porte le titre, sublime de cuistrerie, d'*Ornicar*? Les conjonctions de coordination, faites pour les esprits vulgaires, ont disparu : comprenne qui pourra, les « happy fews » de préférence; mais n'importe qui peut, dans un tel discours, se faire à bon marché l'illusion rassurante d'en être, des happy fews. La parole devenait à la fois prophétique, mystérieuse, et surtout poétique. Il ne fallait plus comprendre, mais se laisser porter par une musique qui d'ailleurs, reposant sur la stricte logique, démontrée par Freud, de l'inconscient, produisait des effets de démonstration aussi sûrs que la vieille logique d'Aristote. Et donc pouvaient comprendre aussi ceux qui cherchaient à raisonner. Il suffisait d'y avoir pensé. Ainsi s'explique que cette régénération du cours magistral ait produit l'écoute subjuguée et idolâtre qu'on accorde à toute parole monologuée. Et si le maître s'en défend en accusant la parole des autres maîtres, en les clouant vivants à ses poteaux de couleur, *melio encore*.

Les psychanalystes comprirent sans comprendre qu'il y avait là un filon social important. Et se mirent à parler, eux aussi, comme s'ils étaient en train d'écouter en rêvant dans leur fauteuil. Transposant dans les réunions leur pratique journalière, ils mirent au point d'extraordinaires numéros.

Entrées de clown.

La scène se passe dans un lieu de réunion. On pourra imaginer au choix, une pompeuse salle de conférence aux fauteuils de velours rouge, une salle de classe, ou un de ces endroits châtelains qui préservent en même temps les monuments historiques et les vestiges fuyants de l'intelligentsia, tasse de thé à l'appui. Il y sera question, au choix, du Diable, de Mallarmé, de l'avenir de la psychanalyse ou de la ménopause chez les sauterelles géantes. Parle quelqu'un. Ecoutent les psychanalystes. L'air absent ou concentré, ils se signalent déjà par l'absence de notes : je me souviens un jour m'être assez durement fait reprocher de gratter sans cesse, vieille habitude de khâgne. Eux savent écouter, et le montrent.

Ayant ainsi ostensiblement « écouté », ayant ensuite, tout aussi ostensiblement, travaillé dans la longue durée le silence qui précède les interventions de ce petit jeu de société, ils s'avancent et parlent. Plusieurs entrées possibles :

— l'expression intime du sentiment transmis par le parleur : toujours rattachée à un souvenir. « Emu comme lorsque j'ai porté pour la première fois des pantalons longs; agacé comme lorsque ma maman me menaçait d'une fessée », et d'en déduire le sens caché que le parleur, évidemment, ne pouvait pas savoir, puisqu'il parlait. Mais que l'analyste, puisque c'est son métier d'écouter, a entendu, quelles que soient les circonstances.
— le récit d'une anecdote personnelle, rencontre, regard, n'ayant par définition rien à voir avec ce qui vient d'être dit, mais que l'analyste-écouteur a associé pendant le temps qu'il rêvassait. « Je pensais justement à ce major anglais, qui, pendant la guerre, m'a soigné une blessure... » Sorte de dévoilement inattendu de ce qui se passe pendant les séances, mais que, par métier, l'analyste ne dit pas. Comme si c'était une joie enfin possible, d'ouvrir son bec pour raconter ce qui passe par la tête.
— l'accrochage au vol d'un mot piqué dans le discours du parleur. « Dans ce qui vient d'être dit, j'entends... » n'importe quoi. Pourvu que cela fonctionne au jeu de mots. L'un parle de faucon, sans doute en remontant, pour la centième fois, à l'éternel vautour léonardesque, voir plus haut. L'autre n'hésitera pas à entendre « faux con », faut oser, des gosses de sixième hésiteraient peut-être, mais ces gens sont d'un sérieux...

Un philosophe leur parle de la « tranche » d'analyse, ce court séjour sur le divan que doit refaire tout psychanalyste consciencieux tous les, disons, cinq ans; et prononce une phrase, quelque chose comme « Ce n'est pas du tout une tranche. » L'autre « entend », et annonce triomphalement : « Ce n'est pas du Tout, une tranche. » Cela change, tout, pardon, je voulais dire, Tout. Emerveillement de l'assistance devant la prouesse d'écoute. Fine oreille. Auguste, avec ses longs souliers et son costume à carreaux, s'avance ainsi avec sa grosse caisse et ses pétards ratés; Auguste trébuche ainsi, et fait rire. Le clown blanc, le sourcil noir levé comme une virgule, le sermonne et le gronde; mais tous les psychanalystes sont à la fois leur propre auguste, et leur propre clown blanc. Ils s'avancent ainsi, patauds dans leurs souliers longs, marchant sur toutes les plates-bandes du langage, avec leur énorme oreille rouge, comme l'énorme nez rouge de l'Auguste, et, en eux, ou à côté d'eux, le très sérieux clown blanc, visage enfariné, les houspille, les prend gravement, les conduit toujours plus loin sous les projecteurs.

Mais comme les spectateurs sont eux-mêmes autant d'augustes, autant de clowns blancs, ce jeu entre soi, ce cirque intime peut durer la vie. Ce n'est rien d'autre que la vieille forme ludique du jeu de société. Du jeu littéraire. Si au moins on pouvait rire, s'il s'agissait de vrais jeux de mots, d'une passade légère comme la Fiancée du Vent, si c'était un point sur un i, ce serait drôle, et peut-être plein de sens. Mais cela s'attarde lourdement;

le jeu sérieux pèse sur toutes les oreilles, et, pour eux seuls, fonctionnera une reconnaissance minimale, seule finalité de ces réunions. Nous sommes du même sang toi et moi; le coup de l'écoute, tu me le fais, je te le fais, nous sommes tous de grandes oreilles, quelle incroyable chance!

Ce sont les mêmes pourtant qui mettent en œuvre tout le jour les extraordinaires capacités du langage à transformer le corps. Ce sont les mêmes qui ont choisi d'intervenir dans la souffrance par leur seul langage, et par l'écoute. Ce sont bien ceux-là qui, le soir venu, ou les vacances, se transforment en autant de petits maîtres soucieux de paraître écouteurs. Etre psychanalyste, en société, c'est cela : paraître avec les mots. Une enflure de la pensée, une hydropisie dans la démarche. Le dindon mis en musique par Chabrier, les coqs d'élevage dans *Chantecler,* s'avancent, ventre en avant, la crête importante, remplis d'air. Une énorme aérophagie.

« Quelque chose de ce qui se passe dans la castration... » « J'avais envie d'interroger l'autre versant du concept... » « Le lieu d'où tu parles, d'où ça parle, d'où ça écoute... » Ils sont souvent bêlants de mimétisme. Attrapant avec une grâce maladroite les mots qui passent, ils font de ce qu'ils entendent une grosse bouillie de têtes molles, dandinant du langage, tortillant des mots. Ils se mêleront de tout. Rien n'échappe à leur oreille infaillible. Ils interviendront de même sur la tronche de Giscard, sur le dernier discours de Marchais, le dernier Resnais, bref, comme beaucoup, mais avec leur façon à eux d'avoir tout entendu. Attention : l'analyste va parler. Il va vous dire ce qu'il a ouï. Il vous le dira à sa mode énigmatique. « Vous n'y êtes pas du tout. Vous croyez, pauvres naïfs, qu'il est question là de cocotte-minute. Il s'agit de bien autre chose. Voyons, vous n'entendez pas? Retournez donc l'énoncé, comme papa Freud : minute, cocotte! » And so on.

Ainsi se sont-ils fait leur place au soleil de la parlote. Ainsi sont-ils devenus membres à part entière de cette société imaginaire dont ils rêvent de faire partie, l'intelligentsia. Les intellectuels mythiques qui ont droit à la reconnaissance minuscule de leurs pairs. Tout en eux rappelle le comportement du nouveau riche. Leur joie visible d'être invité ici ou là, ès qualités. Refrain de l'organisateur de colloque, le Monsieur Loyal de tout ce beau monde : « Ah, et puis il nous faudrait aussi un psychanalyste. » Refrain du producteur d'émission de télévision, dès que cela touche à l'étrange, au criminel, au fou, à l'enfance : « Où trouver un psychanalyste? » Il y en aura toujours un. Celui qui s'est fait une spécialité de ne jamais enlever son petit chapeau sous les projecteurs et les caméras, celui qui tout en restant sur la réserve — oh, mais nous ne sommes pas celles que vous croyez, la psychanalyse, on n'en parle pas comme ça — ira quand même faire son numéro, mal satisfait, à la sortie. Leur incroyable fatuité de parole, l'air qu'ils déplacent autour de leur pensée. Leurs pompes et leurs faiblesses narcissiques, eux, eux justement qui ont pour métier d'en expérimenter chaque jour les limites et les ruses. Tout cela sans même y penser, sans avoir l'air d'en prendre conscience.

On ne saurait dire pourtant qu'ils n'en parlent pas, des effets de la psychanalyse, et de ses objectifs, puisque c'est le prétexte de toutes leurs rencontres. Mais dans cette foire aux mots où ils se bousculent à qui mieux mieux pour placer leur petite idée sur leur pratique, ils contournent soigneusement l'obstacle. Lacan, une ou deux fois, parla de « poubellication ». Sans s'en expliquer davantage, et pour cause. Ils s'en repurent, s'en frottèrent le ventre, et continuèrent de plus belle à publier. Et, derrière la figure de l'intellectuel psychanalyste, merveilleusement représentée par Lacan, s'engouffrèrent dans l'emploi du temps de l'intelligentsia les psychanalystes. Revues, journaux, interviews, livres, réunions, échanges, maison-de-campagne-calme-garanti-attention-papa-travaille...

Et, lorsqu'ils y pensent — car je n'écris pas sans le secours de certains d'entre eux que je sais sensibles sur ce sujet — ils songent aussitôt, et moi avec, à quoi?

A une nouvelle revue, qui ne serait pas comme les autres. Et qu'est-ce que j'écris? Un autre livre.

DEDANS

Et si on parlait du bonheur

Je suis en analyse. Je participe donc, d'un endroit partiel — le divan —, à ce monde qui se dit marginal et que je vois intégré, dans ses moindres détails. J'ai suivi le trajet qui conduit d'une connaissance des textes de Freud, puis de Lacan, à la fréquentation des psychanalystes; puis qui, un jour ou l'autre, sous l'impulsion d'oreilles bien intentionnées, fait aboutir sur le divan, en position allongée. Je ne peux me faire aucune illusion : si je suis sur un divan, c'est parce que j'étais malade, malade comme tout le monde de quelques malheurs oubliés. Je ne peux me faire aucune illusion : quand j'en sortirai, ces malheurs n'auront pas changé, mais je compte bien, et c'est pour cela que j'y suis, que leur répétitive nuisance aura enfin disparu. Je ne peux me faire aucune illusion : parallèlement à la thérapeutique analytique, j'ai suivi pas à pas les codes minutieux des réunions, des exposés, des faux-semblants. Toute critique est projective : la colère qui m'anime m'anime aussi contre ce que j'ai pu être.

Dedans, c'est ce qu'ils m'ont appris de plus sûr et de plus précieux. Le plus difficile, et le plus nécessaire. Quelque chose qu'on pourrait appeler, par analogie, auto-analyse, et autocritique. Deux termes qui semblent bien lointains l'un de l'autre. L'auto-analyse, cela renvoie à la démarche solitaire et angoissée d'un Freud trouvant tout seul, puisque c'était la première fois, les vérités de l'inconscient qu'il allait ensuite généraliser dans la théorie. L'autocritique renvoie au contraire à une critique politique, faite au nom d'un collectif de pensée qui sert de règle implicite à tous ceux qui se sont engagés en sachant qu'aucune pensée ne pouvait tenir seule sans toucher quelque part au délire. Leur seul point commun, c'est d'être retour sur soi. Une démarche qui cherche à ne jamais oublier d'où elle vient, et quelle est son histoire. A ne jamais faire table rase de sa propre biographie; à situer, autant qu'il est possible de le faire sans tomber dans la mythologie du « tout dire », ce qu'on dit au regard de ce que l'on a pu être, de toujours.

Question capitale : pour moi, elle touche à la déontologie même du discours, écrit ou parlé. Nul politique ne peut penser sans pouvoir, à tout instant, revenir sur ses traces; personne ne devrait pouvoir se dire socialiste, communiste, gauchiste, sans avoir su au moins une fois d'où cela lui était venu, où cela le conduisait. Faute de quoi la parole politique se réduit à ce squelette de mots qui nous accable aujourd'hui, où les mots du code politique, à force de circuler dans l'anonymat, se vident de leur poids de vivant. Faute de quoi, oui, c'est le dogmatisme qui menace, que je concevrais comme une parole incapable de s'auto-analyser et de s'autocritiquer. Mais il en va de même pour une critique littéraire, ou une recherche, de quelque nature qu'elle soit, il en va de même pour toute pensée. Or deux pratiques, réputées contradictoires, m'ont appris ensemble cette démarche : la pratique politique d'un parti communiste, et la psychanalyse. Pour ce qui est de la psychanalyse, je ne cesse de m'étonner que les professionnels de l'inconscient se mettent aussi peu en cause, quand ils parlent ou quand ils écrivent. Quant à la pratique politique, elle semble avoir gardé l'usage de l'autoréflexion pour les réunions intérieures, alors qu'il serait si facile, et si convaincant, de le faire publiquement.

Il serait bien sûr abusif d'employer les deux mots d'autocritique et d'auto-analyse en leur plein sens, puisque l'une suppose, en toute rigueur, un manquement à une ligne, et que l'autre suppose, en toute rigueur, que l'on procède solitairement. M'intéresse dans le rapprochement entre les deux, la connotation de vigilance qui s'y attache. D'avoir vécu successivement une période où la théorie marxiste et la théorie psychanalytique, florissantes, se constituaient en méthode au nom de la rigueur, de la structure, et de la démonstration;

puis, maintenant, d'assister à un débordement de subjectivité, particulièrement sur le terrain des idées philosophiques et politiques, et une subjectivité sans racines, sans méthode, sans autre but que de se poser là, cela m'a rendue méfiante sur les aveuglements des intellectuels, les uns, puis les autres. C'est bien entre autres raisons pour celle-là, que j'ai adhéré à un parti dont pourtant, le moins qu'on en puisse dire est qu'à l'époque, c'était il y a dix ans, l'expression de la subjectivité ne faisait guère partie des coutumes, bien qu'elle soit quelque part nichée dans les statuts. Par méfiance envers l'idéalisme foncier de l'exercice fonctionnaire de la pensée.

Les deux pratiques — l'individuelle et la collective — de réflexion de ses propres gestes, m'ont toujours semblé inséparables; c'est sans doute entre autres raisons pour celle-là que j'ai pris le parti d'entrer dans le chemin de la cure analytique, d'entrer, comme on dit, en analyse, comme on entre « en religion » (l'ai-je assez entendue celle-là...) ou « en cabane ». La contradiction théorique commençait déjà à être largement dépassée entre le marxisme et la psychanalyse. Mais les conséquences de ce dépassement sont loin d'être pesées, dans les deux sens. Les uns et les autres hésitent à réfléchir sur leur même tache aveugle : la morale.

Le vilain mot! Et comme il a mauvaise presse, ici et là. Ici, dans la psychanalyse, rejeté d'emblée comme construction défensive, émanant des instances les plus répressives, des images cruelles à bec et dents pointues, des images griffues du Surmoi. Ces mêmes images qui, dit-on, soutiennent et briment le désir. Le Désir, avec majuscule je vous prie, sur le nom duquel s'est construit tout doucettement une quasi-morale tout aussi répressive : aller dans le sens de son désir, et plus vite que ça. Là au contraire, dans la pratique politique qui se déduit du marxisme, la morale est en impasse : tantôt invoquée pour condamner ce qui choque encore la conscience populaire, tantôt évoquée comme ce quelque chose dont il faudrait quand même s'occuper, à la fin des fins, pour que s'accordent les discours militants et les vies dites privées, pour que des hommes communistes par exemple cessent de brimer leurs femmes, pour que la tolérance s'accorde avec toutes les luttes. Pas facile; et puis on a de sales souvenirs du temps où le parti s'occupait trop de morale. Donc, ni d'un côté ni de l'autre, je ne trouve de morale. Et si je m'attache tant à ce vieux mot, c'est parce que seul il me paraît désigner le bonheur, à quoi j'ai l'insigne faiblesse de tenir dur. Le bonheur, Freud en disait : « C'est la réalisation retardée d'un désir préhistorique. » On peut tout juste en déduire l'évidence : que le bonheur dépend, ou plutôt ne dépend pas, de l'enfance. Il n'en dépend pas, puisqu'il renvoie toujours au désir du père ou de la mère, ainsi s'enfilent les unes après les autres les générations. J'ai déjà entendu cela quelque part. Mais j'oubliais encore : les psychanalystes parlent très peu du bonheur, s'ils sont intarissables sur les figures multiples du malheur. Peut-être est-ce de là que leur vient la fuite devant tout ce qui ressemblerait de près ou de loin à la « guérison ». Il y aurait donc un point final à la maladie? On pourrait arrêter là une analyse, déclarer qu'on en sait assez pour vivre mieux? Cela semble inconcevable au monde analytique, piqué par l'aiguillon du malaise comme Oreste l'était par les Erynnies. C'est ainsi sans doute, fatigués, qu'ils ont préféré l'issue littéraire, rebondissement du malheur sous une autre forme.

Dedans, c'est donc s'en aller chercher d'où vient ce que j'écris, pour savoir où cela s'en va. Dépouiller sa petite et secrète mythologie intime, n'en garder que ce qui peut éclairer, et se transmettre. Il se trouve que j'enseigne, et que cette pratique en décadence implique l'idée de transmission. Militer suppose encore bien davantage le désir de transmettre, vite, vite, dans une urgence sans cesse dépassée par le réel. Ce qui ne cherche pas à transmettre ne m'intéresse pas.

Mais transmettre, pour une femme, cela ne doit pas vouloir dire la même chose que pour un homme, puisqu'un enfant jamais de mon vivant ne portera le nom que j'ai d'ailleurs reçu d'un homme. Ce désir de transmettre est aveugle, comme tout désir, aveugle sur ses racines symboliques. M'est d'abord venu ce qui m'avait été transmis : justement, programmé, un destin d'intellectuelle. Programmé, oui, par les souhaits conjoints d'un père fils de famille, récemment sorti des classes moyennes pauvres — un père nouveau riche — et d'une mère juive émigrée, dont les parents ne parlaient pas le français. Au cas où j'aurais pu l'ignorer, l'entrée en sixième dans un lycée « chic » me le rappela d'emblée : la fille d'un conservateur du musée du Louvre, un jour, refusa de me parler. Motif : ses parents lui auraient bien spécifié de ne pas parler à une fille de nouveaux riches, juive par surcroît. C'était quatre ans après la fin de la dernière guerre mondiale. C'était déjà recommencé. Ce fut ma première expérience politique. Etre intellectuel, au sens mythique du terme, à différencier du sens sociologique et professionnel, c'est toujours réaliser le désir des parents : l'obscur désir d'une assomption culturelle où traîne, en arrière-fond, le rêve d'une pratique noble. C'est-à-dire, quelque part, comme ce qu'elle fut souvent au XIXe *siècle, oisive. D'où le penchant des intellectuels à parler de tout, sauf de ce qu'ils font vraiment.*

Mon grand-père paternel fut épicier, puis chimiste; mon grand-père maternel était fourreur. Le « choix » de la philosophie se fit, commandé par le désir, qui n'était sans doute pas seulement le mien, de filer à l'anglaise loin des pots et des peaux. Les rails de l'intelligentsia passent souvent par les concours, à l'aveugle, sûr moyen de ne pas penser. Entrée à l'Université à l'époque facile où les jeunes enseignants entraient en masse sans même savoir ce qu'ils contournaient de vie provinciale et d'enseignement secondaire, je ne pouvais que resservir toute crue la nourriture hâtive que je venais d'ingurgiter. Mais, dans ce fatras fait presque entièrement d'histoire de la philosophie, émergeait une drôle de parenthèse. En ces temps déjà passés, les étudiants en philosophie passaient en courant d'air une année à l'intérieur des murs de Sainte-Anne, sous le prétexte, qui en ennuyait beaucoup, de psychologie.

Le contact avec la folie était censé donner un éclairage qu'effectivement il donne, mais qui ne produisait, dans sa rapidité, que de brefs effets d'angoisse : comment voulait-on, en effet, maintenir d'une main la construction des systèmes philosophiques, et de l'autre, soutenir des délires, des failles, des trouées qui les annulaient totalement? Un ou deux philosophes avaient poussé la cohérence un peu plus loin, enchaînant l'internat des hôpitaux psychiatriques à l'agrégation de philosophie. J'allai les voir; je compris vite que, sans argent personnel, c'était impossible. Ils étaient aussi psychanalystes; mais je n'y fis pas trop attention. L'un d'eux pourtant tenta vainement le coup de l'écoute, cherchant à déceler peut-être un désir d'analyse... Mais le savoir universitaire me bouchait les oreilles, il en fut pour ses frais. Moi pour les miens. C'était pourtant ma première rencontre avec des psychanalystes. Mais bernique, Freud était en fiches, comme Kant, comme Leibniz, bien utile, bien rangé. Et, avec lui, en fiches, la psychanalyse. Restait, entière, la folie et ses énigmes.

C'était le moment où Lacan émergeait, et, avec lui, l'irruption de la psychanalyse dans la philosophie. Nos maîtres eux-mêmes commençaient à s'en soucier, balbutiant entre Hegel et Freud, oscillant honnêtement. Tout un bataillon de philosophes fraîchement agrégés s'y collèrent, certains tournèrent casaque, et sont devenus psychanalystes. Cela aurait pu m'arriver. Peut-être est-ce de ne pas l'avoir fait et d'être encore hésitante sur la nécessité absolue de le devenir (pour quoi en faire?) que je garde au creux du passé ce mythe du psychanalyste qui me fait écrire, maintenant, ce livre. Le psychanalyste, thérapeute suprême, celui qui sait au moins s'écouter lui-même pour mieux écouter les autres. Le psychanalyste qui, retiré sur une montagne d'inconscient dévoilé, sait, lui, les ruses de son propre narcissisme. Le psychanalyste, dernier refuge du moraliste, dernier bastion d'une vieille, très vieille tradition de réflexion sur soi et de misère.

Les voir vivre, parler, enseigner à leur tour, ne posa d'abord aucun problème, puisque, dans ma tête, je les investissais d'un savoir que je n'avais pas. Et puis ils étaient graves, soucieux, rien de ce qu'ils disaient, me semblait-il, ne se disait à la légère. Et puis je m'aperçus — quand même — qu'ils étaient aussi nus que moi. Et qu'ils participaient d'un aveuglement essentiel sur leur vie sociale, sur leur mondanité, sur le fait de vivre dans une époque historique où nul ne pouvait plus se réfugier nulle part. Eux, si, continuaient. Pas tous. Si je n'avais pas connu ceux parmi mes amis psychanalystes qui, sans le savoir, m'ont déterminée à leur rentrer dedans, ç'aurait simplement été une critique de plus contre la psychanalyse. Cent fois déjà faite, souvent de main de maître; pourquoi réécrire l'Anti-Œdipe, *de Deleuze et Guattari, ou* le Psychanalysme *de Robert Castel? Si je ne pensais pas complètement que la psychanalyse est une pratique sociale fondamentale, dont l'histoire et l'évolution concernent notre culture, ses mouvements, le politique qui les reflète, et parfois les commande, qu'aurais-je à faire de formuler ces critiques? Rien.*

Mais curieusement, j'ai le sentiment de ne pas écrire seule. Encore plus curieusement, ce sont les femmes psychanalystes, beaucoup plus que les hommes, qui soutiennent cette critique, et la font vivre. Les femmes psychanalystes, parfois épouses de psychanalystes, que je n'ai pas vues souvent se laisser prendre aux jeux miroitants des mots et aux passions des Belles-Lettres. Que j'ai vues, plus souvent que d'autres, sensibles à leur éventuelle insertion politique, prises dans le même mouvement qui politise les femmes et traverse malgré tout les psychanalystes à leur corps social défendant. Les femmes psychanalystes qui se marrent en douce autant que moi devant les ronds de jambe de maîtrise narcissique de leurs pairs et conjoints. Qui ne s'en laissent plus conter, sauf sur leurs divans. Là comme ailleurs ce petit moteur féminin fonctionne, qui subvertit — sans détruire, mais en tournant autrement, seul sens tenable du mot subversion *— tout ce qu'il touche, et s'apprête à le changer. Car les femmes psychanalystes n'ont pas hérité des Belles-Lettres, elles, non plus que de l'importance sociale du médecin; elles n'ont pas besoin de soutenir un rôle qui fout le camp, et que les hommes psychanalystes s'efforcent de rattraper, recollant les morceaux d'un tissu narcissique qui pète de partout, avec de pauvres bouts de papier collant — et écrit. Elles sont déjà en partie ailleurs — dans un ailleurs sur lequel je ne me fais pas d'illusions, c'est le même que maintenant, à quelques variantes près. Mais dans cet ailleurs-là, j'ai idée qu'on respirerait plus large et qu'on penserait moins étroit, si la psychanalyse, au lieu de la figure qu'elle offre, sélective et littéraire, se montrait à la hauteur de ce qu'elle fait. C'est-à-dire soigner, c'est-à-dire transformer la vie, c'est-à-dire donner les moyens individuels, et collectifs du même coup, de vivre mieux.*

CHAPITRE II

LES PSYCHANALYSTES APPLIQUÉS

Ficelles.

Oh, pour cela, aucune inquiétude à se faire, les psychanalystes le sont, appliqués. Appliqués à écrire, on imaginerait presque la plume qui grince et la langue tirée d'un mythique écolier. Appliqués à écrire, à sortir la psychanalyse de sa pratique, à toute force, et sur tous les terrains.

Comment cela se présente, un livre de psychanalyste, de nos jours? Laissons de côté le modèle prestigieux, inégalé, genre Lacan, il a quand même une plume, et qui ne grince pas; et voyons la moyenne. Le dernier arrivé sur le haut de la pile fera l'affaire. Titre étrange, évidemment : *le Céleste et le Sublunaire* [1]. Chapitre premier, re-titre : « La jacquerie des oiseaux ». Il faut leur reconnaître au moins qu'ils savent faire des titres.

1. Auteur, il faut bien le nommer : Serge Viderman. Editions P.U.F.

Cela commence par le récit d'un rêve, puis des pages entières racontent, tant bien que mal, ce qui a pu se passer, au cours des séances, pour fignoler les différents niveaux d'interprétation du rêve. Glissement sur Mélanie Klein, on reste en famille. Fin du premier chapitre : l'auteur y évalue honnêtement la part de l'analyste dans la création interprétative. Bien. C'est même intéressant pour qui a pu en faire autant, cent fois sur le divan remettant son ouvrage. Deuxième chapitre : « Eclats des textes ». Jeu d'exergue, naturellement : « étoilés comme une fêlure de vitre »... Passage à Roland Barthes, *via* Sarrasine, *via* Balzac. L'opération a commencé. Plus question de divan; mais abondance de castration. Troisième chapitre : Gogol. Les chapitres suivants, on va abréger, quand même, passeront successivement sur la scène psychanalittéraire, Shakespeare, Freud, la Gradiva de Jensen, ... toujours pas de divan. Mais surabondance de passages par les textes sacrés : l'Homme aux Loups, Dora, examen réussi. Remords en fin de course : chapitre XIII, « Retour à la clinique ». Re-rêve, re-fragments de séance. Il ne reste plus qu'à jeter un œil sur la quatrième de couverture : « La publication du premier tome de cet ouvrage a suscité des mouvements divers chez les psychanalystes. Ici approbation, ou fureur, là hochements de tête perplexes : le psychanalyste peut-il donc dire n'importe quoi, puisque l'" inventivité " est la *fons et origo* de son interprétation? On craignait de voir s'ébouler le roc des certitudes " scientifiques " pour laisser à sa place les sables mouvants de l'à peu près. »

On les voit d'ici, les mouvements divers. Les hochements de tête chez, allons, faisons large, dix, vingt personnes? Pourtant, il s'agit, semble-t-il, d'un problème sérieux, et l'auteur de cet ouvrage copieux est un psychanalyste absolument sérieux. Un des plus engagés dans la transformation des institutions psychanalytiques; un de ceux qui ont pris des risques. Mais qui a lu, lira ce livre? Je ne cesse de me poser la question. Peut-être, avec un titre pareil, quelques amoureux d'Aristote s'y laisseront piéger... mais cela ressemble, à s'y méprendre, à un livre écrit pour, ou contre, quelques collègues. Alors, pour que ce soit quand même un livre, on gonfle avec des articles écrits çà et là, parus dans diverses revues dont la liste est donnée en fin de livre, et on ficelle bien le tout, le titre de la collection se trouve justement être : *le Fil rouge*. Je ne sais pas si le psychanalyste peut dire n'importe quoi lorsqu'il interprète, mais je suis sûre en tous les cas qu'il peut écrire « n'importe quoi ». Oh, ils l'ont tant et tant fait, ils en ont tant et tant écrit de la même encre qu'on a fini par s'habituer, sans vraiment prendre garde à ce qu'étaient ces non-livres. Livres faits de pièces et de morceaux, où le « truc » qui se vend, d'emblée, s'accroche à un pan de divan, pour vendre en même temps, comme le paquet de mouchoirs se joint à la cravate du camelot, les élucubrations critiques du monsieur sur ses dernières lectures. On dirait, ma parole, que ces gens ne peuvent rien lire sans en extraire une intervention dans une réunion, laquelle se transcrira en un article dans une revue, lequel, enfilé avec d'autres, formera enfin un livre.

Il existe un pâté russe, dont le nom est « koulibiac ». Il y faut superposer, régulièrement, une couche de poisson, une couche de riz, une couche d'œufs durs, une couche d'oseille, et on recommence, enfermant le tout dans une pâte feuilletée. La confection du livre d'analyste s'apparente à celle du koulibiac : une couche de théorie freudienne, une couche de cas clinique, une couche de texte littéraire soigneusement analysé, une couche de tableau, et on recommence. La pâte feuilletée, si elle n'est pas bien faite, rend le plat indigeste. La pâte feuilletée du livre d'analyste consiste en lourdes associations pour légitimer l'absence d'un livre, mais, voilà dans vos mains, la présence d'un volume imprimé qui se vendra cependant comme tel. Les meilleurs livres ont une pâte de meilleure qualité; mais le procédé est toujours le même. Les psychanalystes ont, pour justifier leur pratique d'écriture — si du moins on peut employer ce nom dans cette occurrence — d'excellentes rationalisations.

Et d'abord : Freud a fondé la psychanalyse appliquée. Dans ses écrits littéraires, rassemblés en volume. Le modèle de tous les écrits de psychanalyste n'est pas, comme on pourrait l'espérer, les *Cinq Psychanalyses* qui sont de patients et embrouillés récits vivants, non plus que l'éblouissante *Interprétation des rêves,* qui donne les clefs pratiques de l'expérience analytique; ce n'est pas même *Malaise dans la civilisation,* cette réflexion toute personnelle et fumeuse d'un vieux Freud philosophe. Non : le modèle, c'est le volume vendu en livre de poche sous le nom de *Essais de psychanalyse appliquée.* Appliquée à quoi? A un conte d'Hoffmann; à une statuette grecque; à la statue de Moïse taillée par Michel-Ange; à un délire religieux... A tout, sauf à l'essentiel de la pratique de la cure. Comme c'est Freud, on n'y pense pas; on y trouve mille idées, qui sont malignes, astucieuses, des tas d'idées qui ont d'ailleurs fait beaucoup plus recette chez les littéraires que chez les psychanalystes. Mais c'était déjà, en germe, la réunion de ces textes, la porte ouverte pour les livres d'analystes : une couche de Freud, une couche de peinture, une couche de littéraire, et on remet ça...

Certains vont beaucoup, beaucoup plus loin, mais au moins sont-ils dans une certaine cohérence. Certains vont jusqu'à penser, secrètement, mais de plus en plus publiquement, que l'analyste est par fonction un écrivain. André Green s'est lancé sur cette piste avec le courage des héros antiques [1].

1. « Transcription d'origine inconnue », dans le numéro 16 de la *Nouvelle Revue de psychanalyse* consacré à *l'Ecriture des psychanalystes,* pp. 26 à 63.

Partant de la même question que je pose : pourquoi écrivez-vous? Il a d'abord répondu : « Pour témoigner. » Réponse faussée, précise-t-il, il fallait entendre : « Parce que j'aime ça. » Ou encore, plus sérieusement : « Parce que je ne peux pas faire autrement. » La seconde réponse seule me semble satisfaisante. Car, du coup, le voilà parti dans un long parcours pour expliquer pourquoi et comment le psychanalyste ne peut pas faire autrement que d'écrire. La question de la publication ne se posant pas d'ailleurs vraiment, en tous les cas, pas pour ce qui le concerne, lui. Mais écrire : écrire, c'est « servir au premier chef cette fonction de vérité, que celle-ci soit de l'ordre de la science, de l'art ou d'autre chose. ... L'écriture de l'analyste est la reprise, dans un autre espace, des problèmes de leur pratique là où celle-ci les atteint. »

Dépouillons. Servir la vérité. Oui, Freud aussi disait déjà des choses de ce genre, Freud qui cherchait à fonder une science. Mais, que je sache, elle est déjà fondée. Ou du moins, il en a posé les fondements, peu modifiés depuis, sauf par Lacan, qui s'est malgré tout abrité derrière la grande ombre pour bâtir un système théorique actualisé, mis à jour. L'histoire scientifique paraît extrêmement lente, comme si, bloquée par le personnage prestigieux de ses origines, elle ne parvenait pas à évoluer. Oh, bien sûr, on fignole, on peaufine, on précise. On bâtit de multiples typologies raffinées; mais, si Lacan a eu le retentissement que l'on sait, c'est bien parce qu'il proposait de nouveaux concepts — encore étaient-ils toujours d'importation linguistique, ou rhétorique, ou mathématique — et qu'il y avait là comme un appel d'air. Servir la fonction de vérité, oui, mais en revenant sans cesse sur les mêmes traces, dans une démarche respectueuse, prudente, précautionneuse, est-ce bien vraiment de vérité qu'il s'agit? Par contre, la pratique de la cure, elle, a beaucoup évolué, et les psychanalystes n'en donnent pas les raisons. Tout se passe dans un pragmatisme complet, en pénombre, en douce. En douce, la durée des séances s'est fixée à une heure, alors que Freud pouvait les faire durer bien plus longtemps; en douce, le psychanalyste est progressivement devenu tacite, beaucoup plus silencieux; en douce, dans l'Ecole Freudienne de Lacan, les séances ont pu ne durer que quelques minutes. En douce, la durée d'une analyse est passée de six mois à six ans. En contrepoint, d'immenses développements sur les concepts freudiens; mais peu de choses sur la technique, à part quelques découvreurs d'exception : Mélanie Klein, ou Winnicott. Cela, pour le rapport entre la science et la pratique.

Quant à l'art ou autre chose (*sic*), on remarquera d'abord le vase communicant privilégié. Noble travail : le psychanalyste a le privilège de pouvoir dire le vrai sur l'art. Secondairement, sur autre chose. Et l'on retombe sur le n'importe quoi. C'est poser, sans crier gare, l'exorbitant privilège de parler scientifiquement de tout, au nom de la psychanalyse. De là à faire admettre, ce qui se fait dans les lignes suivantes, que l'écriture du psychanalyste est la retombée de sa pratique, et que donc elle est inévitable, il n'y a qu'un pas, vite franchi. Rien, toujours, sur la nécessité d'en faire une publication. Car, je veux bien admettre, pourquoi pas, que le psychanalyste, écoutant l'inconscient, soit porté à l'écriture en transférant la parole à la page sur laquelle il griffonnera ses signes, mais cela ne fait pas la nécessité d'un livre, vendu, et diffusé. D'ailleurs là ne sont pas les conditions que Green pose pour qu'on devienne auteur de la « littérature analytique », comme il dit, sanctionnant l'existence d'un fait dont il ne questionne pas la finalité sociale, mais seulement la finalité interne. Donc, pour devenir écrivain-psychanalyste, il faut : a) avoir transité par le divan; b) avoir transité par le fauteuil; c) une tension entre l'inconnu inconscient et son inscription sur la page blanche. Si je comprends bien, il faut être psychanalyste — ce qui interdit à tout ce qui n'est pas analyste de se servir de Freud — et être affecté d'une tension particulière entre les déterminations de l'inconscient et l'acte d'écrire. Le petit c est vrai pour tout écrivain. Et donc ce qu'oublie ce bon André Green, c'est ce qu'on a pu, en d'autres temps, appeler l'inspiration, ou le style, ou même cet horrible mot élitiste, le talent. La tension est sans nul doute le support pour commencer d'écrire; le fait d'être psychanalyste ne garantit pas pour autant qu'il en sortira de l'écriture.

Petits romans.

C'est vrai, j'oubliais encore. Décidément... J'oubliais la mythologie de l'écriture telle qu'elle s'est assez largement diffusée. La sacro-sainte écriture, devenue le référent théorique majeur; puisque tout geste est écriture, il en sortira toujours de l'écriture. En sortira-t-il la phrase qui exige la lecture, le souffle qui porte d'un bout à l'autre, l'idée exposée qui tient un livre? Rien, dans la pratique analytique, ne prépare au métier d'écrivain. Mais il faut les comprendre, et suivre le cheminement de ce malentendu. Voilà donc des gens qui écoutent quotidiennement d'autres parler, parler à leur guise; parler comme jamais l'occasion ne leur en est offerte. Et l'inconscient, lui, par contre, est un écrivain de génie; fabricant de merveilleux lapsus, susciteur infini de jeux de mots, ressource inépuisable de trouvailles de langage. L'inconscient métaphorise, métonymise, rhétorique tant qu'il peut, innove, fabrique des néologismes; le moindre rêve en est empli jusqu'au bord. Songez aux rêves de la jeune Dora, à ce défilé montagneux, à ces nymphes qui s'ébattent dans les forêts, qui sont les métaphores de son sexe, de ses lèvres d'en bas, de sa gorge enrouée; songez à la muselière noire qui barre la bouche du cheval d'angoisse du petit Hans, et qui métaphorise la moustache noire de son père. On imagine bien comment, à force d'en entendre, des trouvailles de langage, tant et tant tous les jours, le psychanalyste se trouve investi de toutes parts par ce qui ressemble à s'y méprendre à de la création littéraire spontanée.

Oui mais. Oui, mais le patient qui sécrète ainsi, dans le laboratoire de la cure psychanalytique, des joyaux poétiques, comme tout un chacun peut, à un tournant de sa vie, en sécréter, n'est pas là pour produire de la création littéraire. Oui, mais ce à quoi il est occupé, le patient, c'est à laisser les voies ouvertes pour brancher le conscient de son histoire sur l'inconscient qui a bloqué cette histoire en des points douloureux, et que ce soit joli, le patient, il s'en fout. Il n'est pas venu principalement pour cela; et, s'il peut lui arriver de s'ébahir des formulations que son inconscient lui met à la bouche, il n'en pensera pas pour autant qu'il est là pour ça. Et l'analyste, professionnellement, non plus : car, s'il écoute, c'est pour que son inconscient de psychanalyste, dûment formé à se brancher sur celui des autres, décèle progressivement, dans le fatras qui lui est servi, des lignes de force, des répétitions, des mots qui insistent comme s'ils frappaient à la porte pour se faire introduire; et pour qu'à partir de là, il puisse, bribe après bribe, aider à la construction de cette histoire, devenue plus limpide. Et encore, encore à partir de là, suivre les changements qui en résulteront, et qui apporteront du mieux-être dans la vie des patients. J'ai cité André Green, aussi parce que c'est lui qui a toujours su répondre sans ambages à la question de la guérison, en mots très simples, mais fermes. Disant, par exemple, qu'on n'entre pas en analyse si on ne souffre pas vraiment, et le champ thérapeutique est là, dans toute sa clarté; et déboutées les motivations mondaines secondaires de tous ceux qui entrent en analyse, faute de mieux, pour devenir psychanalyste, parce que ça doit, semble-t-il, être à la portée du premier venu, du premier inconscient venu. Disant encore, que peut-être le mot de guérison n'est pas le meilleur, parce qu'il renvoie à une volonté forcée d'intervenir à tout prix, mais que dans tous les cas, oui, le psychanalyste prend soin du patient, donne des soins, s'occupe de. N'a pas pour fonction de collecter l'écriture sur les divans. Ni sur les divans, ni sur son propre fauteuil. Pourquoi alors est-ce le même qui s'emmêle les pinceaux pour justifier, à grands renforts de théorie sur le délire, ou le fétichisme, ou que sais-je encore qui sera toujours à usage interne, le simple fait qu'on peut avoir envie d'écrire, mais alors, comme tout le monde? Pourquoi ne pas voir en toute clarté que l'écoute ne donne aucune voie d'accès directe à l'écriture d'un livre, ne donne aucune pratique de l'écriture dans sa matérialité, qu'écrire suppose de toutes autres techniques, que c'est une tout autre histoire?

Car enfin, je ne peux me défendre d'une bizarre impression : à force de lire tant et tant de récits de cas, de voir, de plus en plus ciselés, surgir dans les livres de psychanalystes de jolis petits récits, de charmants petits romans, ou d'effrayantes histoires perverses, j'ai fini par comprendre que les patients en analyse n'étaient pas seulement de puissants créateurs de langage mais encore qu'ils étaient aussi des réceptacles d'histoires. Autant d'analyses, autant de scénarios; la plus banale des histoires, lorsqu'elle est dite dans les entrecroisements du fantasme et les entrelacs du rêve, donne matière à autant de fictions. Et comme on n'entre pas dans la cure psychanalytique sans avoir un passé troublé, suffisamment troublé pour peser sur la vie adulte, la construction simplement historique des événements passés suffit parfois à faire roman. Les psychanalyses de Freud sont là pour montrer l'exemple : le simple adultère bourgeois bourgeonne dans le corps de Dora, l'enfantine phobie du petit Hans, une banale peur des chevaux, suffit à transformer l'accouchement de sa mère en scènes animalières, le fantasme fondateur de l'histoire de l'Homme aux Rats — ce supplice oriental où l'on enfonce dans l'anus du condamné un rat vivant qui dévore les entrailles — ouvre sur l'horreur fantastique. Et le psychanalyste n'entend que roman.

Et du même coup, ne transcrit que romans. Mais, pour transcrire, encore faut-il passer, bon an mal an, par les procédés les plus éprouvés de la mise en scène textuelle. Impossible en effet de redire tout ce qui a été entendu; d'autant plus que l'analyste n'entend pas *tout,* mais seulement partie, celle qui frappe son oreille flottante. Lorsqu'il écrit, il lui faut donc passer par ses propres mots. Même s'il suppose, ou peut supposer, dans une illusion assumée ou feinte, qu'il ne fait là que transcrire. Or se produit en cet endroit un phénomène étrange en apparence, et cohérent si l'on tente d'y voir un peu plus clair. Les récits piqués çà et là sur les divans prennent, à quelques variantes près, la forme romanesque du XIXe siècle, dans leurs phrases, leurs constructions, leur déroulement. Cela peut aller jusqu'à la reproduction du style de Proust, ou du style des grands romans de geste familiale (*les Thibault, les Hommes de bonne volonté,* les *Pasquier*) mais pas trace, étrangement, des formes les plus actuelles du roman : toutes celles dont on a pu dire, dans la critique littéraire, qu'elles avaient justement un certain rapport à l'inconscient. Nulle trace des tentatives de Guyotat, de Nathalie Sarraute ou de Claude Ollier; nulle trace des efforts de la littérature d'avant-garde, ou réputée telle, qui s'échine de son côté à tenir compte des données apportées par Freud : les trouées, les éclatements, les dispersions, les absences de chronologie, le temps et l'espace qui se fondent dans une durée conflictuelle et inconsciente. Nulle trace de Joyce, si souvent commenté par les analystes. Non : que du traditionnel récit, bien lié, au mieux bien troussé. Une vieille écriture.

« Un voleur de comédie, outrageusement masqué, gants noirs et chapeau à larges bords rabattus sur les yeux, brise la vitrine d'une galerie de peinture et se saisit d'un tableau qui représente la scène même qui se joue, un voleur, de noir vêtu qui brise la vitrine d'une galerie de peinture, avant de s'engouffrer dans la traction noire qui démarre en trombe selon la meilleure tradition des films du genre; devant cette scène, le conteur, qui s'y représente dans un angle, affecte l'indifférence, et, d'un geste lent, tire une cigarette d'un paquet rouge et blanc, des Craven A. » C'est Serge Leclaire, c'est le début de *Psychanalyser*. Pas tout à fait le début, manque à ce récit de rêve la première phrase : « Un jour, le patient, s'allongeant sur le divan, rapporte la fantaisie que voici... » Encore plus descriptif, encore plus lié, encore plus enserré dans un modèle qui tient du conte de fées et de la célèbre marquise, celle qui sortit à cinq heures. Ils reconstituent l'événement, le fil, la série de petits faits dont ils n'ont entendu que des fragments. Et, ce faisant, ils en dénaturent la créativité, la ramenant à des stéréotypes littéraires d'autrefois. Car nul rêve ne se « raconte » sous une forme aussi littéraire; nul fantasme ne se dira sans pause, sans hachures, sans hésitations, sans peine; nulle parole sur le divan ne prendra cette forme banalisée, rigide, conventionnelle. Aux orties, le plus souvent, les règles des concordances des temps, les lois de la langue, aux orties, le style classique; s'ouvre sur le divan un discours autrement polysémique, autrement fécond, autrement moderne, d'un strict point de vue stylistique. Mais le psychanalyste tombe dans son propre piège : désireux, toujours, de restituer en même temps le climat affectif de la séance, dont il est l'un des acteurs, la polysémie des mots, sur laquelle son oreille a travaillé, et la rigueur de la construction inconsciente, il retombe dans l'organisation régulière du récit : d'abord le temps, le cadre, la succession, rien que de l'enchaînement. Aucune dé-liaison, tout en liaison. Le contraire, en somme, de ce qu'il a vraiment entendu, de ce qui s'est vraiment passé. Du réalisme en somme, avec le mythe qui s'y attache.

Comment pourrait-il en être autrement? Il y a, dans la théorie psychanalytique, une donnée que Freud, et après lui, Mélanie Klein, ont appelée le roman familial. C'est une structure de récit, peut-être l'une des premières qui surgissent dans le développement de l'enfant. L'enfant, mettant en doute ses parents, qui ne lui plaisent plus trop, s'en invente d'autres, fabule des histoires où il a été abandonné, perdu dans la forêt, sur la colline, puis recueilli par de pauvres bûcherons, avec qui il vit, faute de connaître ses vrais parents, le roi, la reine, ou le châtelain du coin. Freud y voit, sans doute a-t-il raison, la structure même des contes et des mythes. Dans toute histoire qui se construit sur le divan, entre une part de roman familial : pas seulement dans la fabulation sur la famille, dans l'acharnement ou la passion que le patient peut mettre à la détruire ou à la magnifier, mais aussi dans le récit des histoires de famille. L'histoire de l'oncle perdu, ou de la tante maudite, ou du grand-père aventurier, ou de la sainte grand-mère, ou toute histoire qu'enfant on a entendue dans le grand bruissement qui transmet, de génération en génération, la culture et le récit d'un groupe familial. La construction de sa propre histoire — la vraie — sur le divan, passe par ces paroles soufflées, soufflées par toutes les générations antérieures, et par la mesure du décalage entre ce mythe et la fragmentaire, précaire, réalité, qui défait les personnages et y substitue des vivants, ou des morts, en tous les cas plus des personnages de petits romans. C'est en quoi l'analyste est prisonnier de la forme roman, puisqu'il ne s'essaye pas à être vraiment écrivain. Ce qui serait une tout autre affaire.

Si seulement ils basculaient nettement, délibérément, dans le mythe et ses grandeurs. S'ils osaient adopter la forme du conte de fées. Si un récit d'analyste pouvait commencer par « il était une fois... ». Mais non : ils en restent au projet du XIXe siècle, à tout vouloir décrire, pâle décalque d'un idéal scientifique confronté aux mécanismes, eux-mêmes fortement tissés d'histoire littéraire, de l'imaginaire; comme s'ils en étaient les découvreurs, comme s'ils apportaient, dans leurs transcriptions, l'essentiel de leur expérience. L'un d'eux, plus lucide que les autres, ayant senti ce point, et l'insondable pesanteur de la théorie psychanalytique, a inséré, dans un livre par ailleurs truffé de théorie, de vrais petits romans. Vraiment un effort certain, une réussite dans l'invention. « Jérôme n'avait pas quitté sa chambre depuis deux mois. Près de son lit s'accumulaient les journaux que lui apportait Vanessa, désespérée de se voir interdire chaque matin d'ouvrir les volets. »[1] Bon; voilà qui est net. Plus loin : « Jérôme, dit une faible voix, votre rose du Bengale feuille à feuille déclose demande que l'aube de mes pleurs au point du jour l'arrose. » Que s'est-il passé? L'écrivain-analyste fait du style. Des rimes et du symbolisme. Encore du vieux. Bien sûr, vous n'entendez que de vieilles histoires : mais qui vous pousse ainsi à les vouloir écrire? Je ne sais si les psychanalystes lisent souvent *Nous deux*, ou *Intimité,* là où se perpétue, largement diffusée, la forme la plus dénudée et la plus romanesque des récits. Il n'y a pas grande différence entre un récit de psychanalyste et cette structure de récit à sentiments. Si : les récits populaires ne sont pas affectés. Affectés d'un vocabulaire rare par où s'exprime leur culture, leur classe, souvent celle de leurs patients. On pourra les lire sociologiquement

1. René Major : *Rêver l'Autre,* Ed. Aubier-Montaigne, pp. 248 et 251.

comme la forme essoufflée d'une littérature bourgeoise, héritière de la grande forme romanesque, n'ayant franchi encore aucun des pas de la modernité.

Vampires.

Et puis, encore en deçà : que me fait leur style, leur vieillerie de mots, au regard du vampirisme qu'il suppose? On est bien loin, très loin, du « cas clinique » présenté comme exemple; on est loin, très loin du souci de reconstruction historique qui pouvait animer les premiers psychanalystes, ceux qui, maladroitement coincés entre le langage de la médecine et ce qu'ils découvraient, transcrivaient les « faits » sans souci de littérature. Les psychanalystes sont devenus hantés par les lettres; fuyant la médecine à toutes jambes, avec d'excellentes raisons apparentes que nous allons voir, ils trouvent l'issue, croient-ils, dans ce qu'ils s'imaginent être du nouveau. Mais ils ne peuvent le faire qu'en volant les histoires des autres. Voyez comme jamais ils ne s'impliquent dans la leur, d'histoire. Comme ils sont muets sur eux-mêmes, sur ce qui les a conduits dans ce fauteuil où viennent s'écraser tant de romans réels. Comme ils ne font jamais le leur, de roman (ou, s'il leur arrive de le faire, ils s'avancent masqués, et ne le diront pas). Pourtant, eux aussi, ils y ont été de leur roman familial, de leurs rêves, eux aussi ont pu ainsi servir de vivant matériau pour des oreilles étrangères. Le secret professionnel — qui par surcroît les oblige à défigurer les noms propres, les prénoms, et donc à transformer profondément la « vérité » — a bon dos : « Mais, si nous nous racontons ainsi, nos patients vont nous reconnaître, et alors, comment allons-nous faire? » Et que le patient se voit ainsi romancé, est-ce que cela ne pose aucun problème thérapeutique? L'oscillation est incessante : questionnez-les sur la thérapeutique, ils filent dans le culturel bon teint, sur la fonction subversive de la psychanalyse, sur son étroit rapport avec la fiction; questionnez-les sur la fiction, ils repartiront dans la thérapeutique.

C'est ce faux-fuyant qu'ils vendent. C'est leur produit de marque. Ils vendent des histoires, des histoires qui jouent le même rôle qu'autrefois les récits des voyageurs revenus de lointains pays. L'exotisme de l'inconscient : « Avec le névrosé, on est comme dans un paysage historique, par exemple dans le jurassique. Les grands sauriens continuent à s'ébattre, et les prêles sont hautes comme des palmiers », écrivait Freud dans ses dernières notations londoniennes. Mais pour restituer cette étrangeté, encore faudrait-il d'autres moyens, qui ne relèvent pas de l'écoute, mais de toute l'histoire de l'écriture. Alors, ils parlent, ou parlent de ce qu'ils ont lu; ou commentent à l'infini, tournant en phrases mimétiques leurs auteurs favoris, rejoignant le degré zéro de la critique littéraire.

Et pourtant. Dans le premier chapitre de *la Science des rêves,* Freud expose toute la littérature sur le rêve; pour bien s'en démarquer. Pour donner le départ d'une autre rigueur, qui, si elle s'enracine dans le littéraire, prend des méthodes nouvelles pour se dire. Avant, rêveries poétiques, hypothèses philosophiques, tout un pot mêlé de voies lactées sur l'inconscient. Après, un déchiffrement technique et logique, pourvu d'une double finalité : thérapeutique d'une part, épistémologique d'autre part. Au point où nous sommes arrivés, nous voici devant un refus de la thérapeutique, au profit d'une intervention généralisée, et d'abord sur le champ privilégié du littéraire. Entre ces deux points, une histoire vertigineuse, aussi rapide dans sa naissance, son expansion et ses crises qu'une autre histoire parallèle, celle du cinéma. Le cinéma naît en même temps que la psychanalyse, dans les mêmes eaux mêlées du spectaculaire et de la science : les frères Lumière, pour la rigueur scientifique de la découverte, Méliès, pour la partie qui fait songer à l'illusionniste psychiatre, le grand Charcot. Mêmes figures de femmes effrayées, mêmes vampires effrayants dans les films muets et dans les histoires d'hystériques : c'est le même imaginaire. Il y a eu un Hollywood de la psychanalyse, quand, en même temps que le cinéma devenait une grande industrie, la psychanalyse s'installait en souveraine complice d'une psychologie de l'efficacité. Il y a eu une dégradation des deux industries, avec, en France, le phénomène Godard, le phénomène Lacan : l'avant-garde du retour à Freud et du retour aux formes repensées du cinéma muet. Et, maintenant que les vieilles vedettes disparaissent de la scène une à une, maintenant que les dentiers éclatants des Wayne, des Crosby, se font un peu trop visibles, et que le cinéma cherche de nouvelles formes, maintenant que le dentier de paroles de Lacan montre un sourire vieilli, le spectacle reprend son bien. Les praticiens du théâtre, ceux du littéraire, ont cherché et souvent trouvé dans Freud le matériau de leur fiction : mais avec quel patient travail de transformation!

Le spectacle reprend son bien. Le bien que la psychanalyse avait su éviter, dans le lent dépouillement que Freud avait fait subir au traitement de l'hystérie; les grandes mises en scènes hypnotiques, les amphithéâtres médicaux, pour réduire le traitement à sa forme la plus nue et la plus efficace, dans la mise en scène la plus restreinte, deux personnages sans auteur. Mais des auteurs, il n'en a pas manqué pour faire subir à la psychanalyse le retour à ses origines : auteurs, acteurs, les psychanalystes de l'intelligentsia, les théoriciens, les colloqueurs, les écrivains de livres, le sont redevenus. Pris entre les pratiques artistiques, dont ils n'ont pas l'habitude, et les pratiques médicales, qu'ils refusent. Appliqués à ne pas se réfléchir sur la grande scène sociale, où, tout le jour, ils exercent leur fonction guérisseuse.

DEDANS

Voleuse de portes

Autant le dire, protester contre le vampirisme des analystes en mal d'écriture, contre le vol des paroles entendues sur le divan, quand on est soi-même en analyse, qu'on a pu voir sur le bureau de l'analyste la machine à écrire et la feuille enclenchée dedans, c'est transparent. Je le dis par scrupule, par conscience, bien que rien en moi ne soulève le petit frémissement d'angoisse et d'inquiétude où se marque le soupçon que, peut-être bien, on refoule là quelque chose. Mais c'est possible, après tout, ce que j'en sais n'est que surface.

Parlons de vol justement. C'est autrement que j'ai pu avoir souvent, moi, l'impression de voler. Voler aux maîtres leur pensée, la dire en d'autres termes, bref, ce mélange de bonne conscience qui accompagne toute vulgarisation, et de mauvaise conscience parce qu'on ne pense pas par soi-même. Voler à d'autres leur pensée, leurs mots; ce livre tout entier est fait de paroles piquées à d'autres. Non entendues sur des divans, mais parsemées, éclatées, dans la vie. Cette histoire de propriété traîne depuis longtemps dans le théorique : aux temps où la fabrique althussérienne s'ouvrait à l'Ecole normale, certains ont pu se battre pour la propriété des concepts. A celui qui l'aurait énoncé le premier, qui aurait le premier inscrit dans la grande histoire des idées le mot juste et nouveau auquel son nom propre à lui allait rester collé. Il y avait dans l'air comme un tribunal métaphysique, qui avait pour charge de trancher les conflits, d'arbitrer entre les plaignants. Mais là-dedans, pas une femme. Mais à y repenser, ces petits messieurs mettaient en œuvre, dans l'activité philosophique, les prestances masculines. A qui ébourifferait sa crête, à qui aurait encore le plus gros phallus conceptuel.

Alors, voleuse. Oui, et sans le moindre remords maintenant. Voleuse, c'est-à-dire femme : contrainte au vol dans une culture d'hommes, encore plus dans le terrain que je m'étais choisi, vouée au plagiat, à l'imitation, au faire-valoir des maîtres. Voleuse, jusqu'au moment où le mot tourne en son envers sans changer : voleuse, celle qui s'envole. Voleuse, piqueuse de mots, là où ils se trouvent, et, si c'est dans les écrits des hommes, par nécessité, alors je vole. Si ces écrits sont de psychanalystes hommes, alors je vole. Si ces scènes que je raconte sont jouées par des hommes, alors je vole. Mais je m'explique alors comment je peux n'avoir aucune crainte d'être dépouillée de mon histoire. Mon analyste est femme; et, dans un pays profond et à venir, il n'y a pas de rapines entre femmes. Adieu la bonne et la mauvaise conscience, et les petits partages propriétaires : ce n'est plus mon affaire, mais la leur.

.....

L'écriture, ce mythe prégnant, cette suprême distinction, comment cela peut arriver. Comment peut un œil devenir progressivement sensible à ce qu'il lit, entrer dans le rythme, la musique, et souffrir comme d'un mauvais éclairage, quand la phrase ne s'envole pas avec les bonnes ailes. Aucun de ceux qui émergent dans le champ théorique ne peut le faire sans les plumes ailées d'une écriture. Althusser, et cette phrase sur Mao : « pur comme l'aube ». Lévi-Strauss, et la prosopopée latine dans toute sa majesté impériale, virgilienne. Lacan et la prosopopée baroque, grecque, précieuse. Derrida, ou le passage à la fiction. Et autant de petites écritures sous-maîtresses qui, copiant avec application la rhétorique sans ses plumes, ne servent que des poulets déplumés, des volailles aux bréchets visibles, des bêtes nues.

Le premier livre lu, le corps frémissant accompagnant le texte, ce fut pour moi les Nourritures terrestres. *Livre pour jeune garçon, mais je ne le savais pas; livre humaniste et codé, mais je ne le savais pas encore. M'en sont restées des portes qui s'ouvraient. Sur les granges, sur les foins, sur les plaines. Et la haine des familles qui formait le nœud où se nouait ma lecture, mais je ne l'ai su que beaucoup plus tard. En le lisant, je trouvais l'issue, quand autour de moi le couple de mes parents jouait aux quatre coins avec plusieurs autres couples, dans un adultère généralisé et soigneusement réglé, comme un ballet. Portes partout fermées, amours en circuits clos : familles. Portes entrouvertes, entrebâillées sur ce qu'il ne fallait pas voir, secrets surpris par les enfants : familles. Que des portes, dans un livre, puissent s'ouvrir sur l'espace, et que je puisse les franchir, je ne le savais pas. Je ne l'ai su que beaucoup plus tard. Sans doute, dans la violence que je ressens contre ce que les psychanalystes ont fait de leur pratique, entre-t-il encore de ce ressentiment enfantin. Portes fermées, portes de famille, et nul moyen d'en sortir : lorsqu'ils refusent le terme même de guérison, les psychanalystes ferment la porte. Même celles du désir sont closes, prises dans un réseau implacable, dont il est posé en principe, sans qu'il soit besoin de le dire, qu'on n'y peut rien. Or cela n'est pas vrai. Et si ce qu'a trouvé Freud ne sert pas à changer autour de soi le monde pour réaliser le désir dont on sait désormais les racines, alors ce n'est qu'une philosophie de plus, un leurre de plus. Mais tant de vies ont changé, tant de déplacements se font quotidiennement, au terme de tant de souffrances, qu'il faut au contraire savoir le redire : ce n'est pas vrai que les portes sont closes.*

Mais la fiction agit comme ventouse. Pôle d'attraction et de répulsion, énorme poubelle à fantasmes, lieu où le malheur se déverse, et, avec lui, la délicieuse jouissance des complaisances tragiques. Comme tout le monde j'ai écrit des bouts de fiction, quand ça n'allait pas, pour jouir des conflits et régler des comptes. Comme tout le monde je n'y ai trouvé que les remparts limités du romantisme du XXe siècle, passions pas mortes, hantés par les suicides d'amour : Kleist et son amante, Tristan et Isolde, empoisonneurs publics. La fiction des psychanalystes me renvoie ces stéréotypes familiers : familles.

Au bout de l'histoire parallèle du cinéma et de la psychanalyse, au terme du voyage en pays fantasmatique : Jean-Luc Godard, pendant l'été 1976, avait fait pour la télévision française, frémissante de ses propres audaces, des séries d'émissions où des portes s'ouvraient, de partout. Leçons de choses, comme à l'école primaire : leçons de réel, leçons d'écriture qui barraient l'écran en inscrivant des mots, comme sur un tableau qui, enfin, ne serait plus noir, mais vivant. Leçons de toutes choses : le café dans la tasse, le sucre qui tombe dedans, les briquets flambants, les prisonniers politiques, la flambée des prix et la vie chère, et une lettre d'amour, écrite d'une prison. Un langage à la fois maladroitement pédagogique et originel, un qui avait su trouver, et non retrouver comme tant d'autres, comment vivre loin des mythes. Un qui avait su trouver quoi faire du petit écran où les images façonnent les têtes, chaque soir, de 19 heures à 23 heures, un qui avait compris, après son trajet dans une pratique, comment en parcourir d'autres, et s'en aller dans les plaines.

Leçon de chose psychanalytique : je m'allonge, il fait plutôt froid aujourd'hui, elle est là, comme d'habitude elle allume la cigarette à laquelle je n'ai pas droit, silence. Commencer à parler, accrocher. C'est un bout de rêve, il n'en reste presque rien, mais ce rien se dit. C'est une gêne diffuse, elle se balbutie en soupirs, en tortillements, être éveillé et couché, juste comme cela pour parler, comment est-ce possible? La gêne se dit. La gêne et le rêve se nouent ensemble. C'était la guerre, et de confuses images de bonheur là où le roman familial ne m'avait transmis que bombardements et persécutions, et résistances. Le bonheur existait là où le mythe pesait de tout son poids, vouant la vie à n'être qu'une infinie répétition de brisures. Cela se dit. Cela se vit. Les portes s'ouvrent, ce n'est pas qu'elles ne grincent pas, mais à la fin les voici poussées. Dehors, c'est l'air libre.

CHAPITRE III

MEDICINE-MEN

Shamans et sorciers.

Les hommes-médecins, les hommes-médecine : en choisissant d'employer ce mot traduit de l'anglais, je m'en vais sur des sentiers éloignés chercher à dépasser la figure solennelle du médecin. Cela ne lui enlèvera rien en solennité, en gravité; mais, de substituer, dans l'imaginaire et pour commencer, des plumes et des coquillages au stéthoscope et au caducée, cela mettra de la distance, toute la distance qui nous vient de l'anhistorique. Hors de l'histoire, si loin de nous qu'on regarde d'abord avec une simple curiosité ce qui est en nous caché, le sauvage conceptuel. La pensée sauvage. Dans la multitude des savoirs essuyés les uns après les autres, restent quelques blocs de démonstration qui résistent au taraudage de la critique. Certains pans de la pensée de Claude Lévi-Strauss sont de ceux-là. Cet homme, devenu académicien et soutien du pouvoir en place, sans doute aussi par scepticisme, n'a pas franchi le cap d'un idéalisme qui le conduit à désespérer de toute possibilité de changement; mais il n'en a pas moins pensé clairement, et de façon positive, le statut du symbolique, plus fortement qu'aucun autre de sa génération. Et c'est dans l'*Anthropologie structurale* qu'on trouve de quoi comprendre le passé, anhistorique et historique, de la psychanalyse comme thérapeutique. En franchissant d'un grand bond des siècles de médecine et d'histoire des sciences, en allant regarder, au plus près des thérapeutiques « sauvages » comment elles guérissent. J'y trouve en prime l'explication de la demande sociale des psychanalystes, investis d'un pouvoir, qui, partout, a toujours intéressé le groupe dans son ensemble, et s'est toujours accompagné de formes spectaculaires, qu'elles soient reconnues par les normes, ou bannies officiellement et réduites au mythe d'une contre-culture. Ce sera le même jeu.

Medicine-men : sorciers, shamans, guérisseurs et sorcières. J'y inclus ces maudites pour rappeler que la guérison a parfois coûté la vie à ceux qui la pratiquaient dans la rébellion contre les lois, en l'occurrence celles de l'Eglise. J'y inclus ces maudites pour qu'on n'oublie pas ces milliers de femmes brûlées à cause de leur regard, de leur silence, de leur mutisme sans larmes, et parce qu'elles guérissaient, hors des normes, et dans l'unique pratique du transfert. J'y inclus ces femmes pour qu'on y pense, et qu'y pensent ceux parmi les psychanalystes qui, nichés dans de luxueuses chaumières et bardés de sous, prétendent vivre en marge et courir des risques, dans un monde où les vrais risques, pas loin de chez nous, condamnent des militants au chômage et à la prison pour délit d'opinion politique. J'y inclus enfin ces militantes qu'étaient sans le savoir les sorcières, pour qu'on pense au « Berufsverbot », et que les psychanalystes ne volent pas l'étendard dangereux du risque social à ceux qui acceptent de le courir vraiment. Car, dans leur désir éperdu de reconnaissance sociale, ils vont aussi jusqu'à se prétendre pourchassés, prêts à « prendre le maquis » : psychanalyste guérillero, prêt à quoi au juste? A recevoir des patients clan-des-ti-ne-ment. Ciel...

Medicine-men : ceux-là détiennent un pouvoir dangereux. On devient sorcier quand on est affecté d'une déficience visible au regard de tous : épilepsie, œil vairon ou torve, boiterie, maladie. Devient donc guérisseur celui a déjà payé son tribut, tout comme le psychanalyste devient thérapeute après sa propre analyse. Là s'est retrouvée toute une partie de notre culture que l'histoire de la médecine avait simplement recouverte; aucune invention, mais une résurgence dont les effets ne sont pas terminés, dans le simple fait d'être admis à guérir parce que l'on a su être malade et se guérir soi-même : c'est-à-dire survivre à une atteinte initiale, originelle. Comme Œdipe, comme Héphaïstos, ces deux boiteux shamans malheureux en amour; car être guérisseur situe d'emblée la vie hors la vie normale, et exclut la banalité de l'amour même. Le shaman est donc toujours tout près du fou, qu'il a pu être, qu'il redevient officiellement lorsqu'il est en état de transes. Quand, dans le mythe qui soutient la pratique de la cure, le sorcier s'en va en voyage, armé d'ailes imaginaires, endossant un squelette d'acier, plus fort qu'un homme, juste comme un oiseau de métal, il transforme son délire interne en délire public. Public : c'est là le point important.

Amphi-théâtre.

La transe est publique, le groupe autour regarde, ciment nécessaire à la prise de la thérapeutique. La cure, même si elle fait partie des normes, demande trois acteurs : le malade, le thérapeute, et le groupe. C'est aussi, et inextricablement, un spectacle. Un spectacle. Un spectacle où regardent des badauds, aussi attentifs que nous devant un accident, une échelle de pompier, un cirque qui se monte ou une querelle dans la rue. Quelque chose qui détourne le train de vie quotidienne, et oblige à s'arrêter, à voir, à savoir : savoir de rien, puisque tout consiste dans le seul regard de plusieurs, ensemble, autour.

Maintenant, voulez-vous, quittons la scène primitive, toujours et encore chargée des mystérieux pouvoirs de conviction de l'origine, ceux dont se servent les ethnologues pour leurs démonstrations, et volons jusqu'à l'amphithéâtre de Charcot, vers les années 1890. *Une leçon clinique à la Salpêtrière* [1]. A gauche, une trentaine de spectateurs, en complets-vestons ou en tablier blanc, moustaches, barbes et lorgnons. Au mur, une gravure clinique, représentant une femme dans la position acrobatique de l'arc hystérique, tête et pieds assurant le poids du corps sur le sol, le corps tout entier arqué. A droite, une femme hypnotisée. Dénudée, poitrine offerte aux regards. Un médecin la soutient, regard christique; à ses côtés, une femme, peut-être une bonne sœur. Le brancard est là. Au milieu, Charcot, qui pérore, debout à côté de son monstre femelle. Mêmes cous tendus, mêmes yeux fascinés, un cercle de regardants. Et, au milieu, le couple éternel médecin-malade, sorcier-malade, thérapeute-souffrance, exception du médecin face au malade-exception. Exceptionnel, Charcot au regard perçant, Charcot qui faisait des miracles et rendait la marche aux paralytiques, Charcot qui retrouvait, sous des couches épaisses de savoir et de refoulement, la pratique de la cure dans toute sa violence. Charcot qui ne savait pas trop ce qu'il cherchait, ni

1. Tableau de Brouillet, salon de 1887.

ce qu'il faisait, mais qui savait tout juste dire qu'il s'agissait de chose génitale, et que « ça » n'empêchait pas d'exister. C'était poser en même temps la nécessité du spectacle dans la cure, et sa vanité passagère. Une fois l'hypnose terminée, la paralytique retombée sur la petite chaise, les jambes à nouveau inertes, le cercle se défait, la posture se rompt. Et, dans cette célèbre gravure que je décris, au milieu du cercle, des hommes de lettres. Et, non représenté, un inconnu qui avait du flair, Freud. Fasciné autant par Charcot que par Sarah Bernhardt, autre spectacle, autre transe, autre cirque.

Charcot n'était pas tout à fait shaman. Car le shaman vit intensément les troubles de son malade; c'est son travail de revivre dans le même espace-temps deux traumatismes d'un coup : le sien propre, sa première crise, ce par quoi il a été reconnu guérisseur; et le traumatisme du malade, qu'il s'efforce d'abréagir à la place du malade. Prenant sur soi les violences des troubles du patient, en déchargeant celui-ci, avec l'accord du groupe. Mais Charcot n'abréagissait rien; il se contente, encore, en médecin, de ressusciter la crise à l'infini de la femme qui pend, là, abandonnée, passagèrement livrée et délivrée. Freud s'est emparé de ce pouvoir, et l'a réduit en science. En ajustant progressivement, lentement, par expérimentations successives, l'abréaction du malade et l'abréaction du shaman, utilisant prudemment la transe du sorcier jusqu'à ce qu'elle devienne vivable : une transe limitée, dans un fauteuil, bardée de défenses contre le danger, une transe immobile, un spectacle réduit au strict minimum. L'hypnose, c'était encore beaucoup trop : quand les patientes se réveillaient, il le raconte dans *Ma vie et la psychanalyse,* elles se jetaient à son cou. « J'eus l'esprit assez froid pour ne pas mettre cet événement au compte de mon irrésistibilité personnelle et je pensai maintenant avoir saisi la nature de l'élément mystique agissant derrière l'hypnose... J'abandonnai donc l'hypnose et je n'en conservai que la position du patient, couché sur un lit de repos, derrière lequel je m'assis, ce qui me permettait de voir sans être vu moi-même. » Des bras qui enlacent, un accès : danger. Mystique, c'est-à-dire danger. On ne saurait faire grief à Freud d'avoir, scientifiquement, écarté l'Eros, de l'avoir encagé. Encore que... Prudemment, il passe de l'autre côté du regard, et se trouve donc dans la position commode du surveillant, qui voit sans être vu. Peut-être est-ce pour cela, à cause des barrières mises entre les regards et les crises, que nos psychanalystes emploient de tels mots excessifs pour parler, à grands renforts d'emphase, de la « mort » et de la « violence » qui surgit sur les divans. Ce ne seront jamais que des mots, et tout ce théâtre est devenu langagier.

C'était, la réduction de ce théâtre, de cet amphithéâtre, un tournant qui abandonnait le spectacle. Ce spectacle dont Alexandre Dumas avait bien compris les mécanismes, lui qui mettait du regard et de l'hypnose à chaque tournant du romanesque, à chaque ressort de l'intrigue. Voyez les guérisseurs politiciens dans Dumas : Cagliostro, dans *le Collier de la Reine* et *la Comtesse de Charny,* ou le médecin mystérieux compagnon de la Dame de Montsoreau, ou même le double féminin du sorcier, l'empoisonneuse au regard clair, Milady. Il s'y fait des viols, sous hypnose, des incestes, comme dans *Urbain Grandier,* il s'y met en scène des spectacles érotiques et secrets : adieu, tout cela... Et c'est bien un congé que donne Freud, le prudent, au théâtre dans la guérison : car en farfouillant, comme il sut le faire, dans les débuts de sa recherche, il avait trouvé bien sûr tout ce qui rendait pensable le shamanisme dans la psychanalyse : l'étroit rapport de l'arc hystérique, cet étrange exercice d'acrobatie spontanée, avec les clowns, leur gymnastique, les somnambules, et, au-delà, les balais des sorcières. Il avait mis le doigt sur l'hystérie des sorcières, sur les épidémies de danse, sur le sperme froid du diable : théâtre de la thérapeutique qu'il a, de toutes ces forces, contenu. Dans le même temps, émergeaient ailleurs des formes expressionnistes du cinéma muet : Freud a tout de même refusé le cinéma, et la figure terrible de Caligari, le psychiatre fou qui se sert du regard fixe d'un somnambule, et la figure fascinante de Nosferatu le vampire, l'hypnotiseur maléfique. Le théâtre thérapeutique s'en est allé du côté d'un nouveau spectaculaire, le cinéma; et le petit espace du cabinet psychanalytique s'est réduit à la scène squelettique : le psychanalyste, vissé dans son fauteuil, le patient, cloué sur le divan, et, dans le dispositif de l'action, plus rien d'autre.

Mais l'imaginaire, lui, est demeuré. Au moins le shaman jouit-il, après toute cure, d'un pouvoir prestigieux reconnu par les foules. Au moins le clown, l'acrobate recueillent-ils les applaudissements. Au moins, quand il y a spectacle, le risque est-il visible et perçu par tous : on respecte le shaman pour avoir affronté les démons de quelqu'un d'autre, on applaudit le clown pour avoir risqué le ridicule, l'acrobate pour avoir risqué sa vie. On n'applaudit pas le psychanalyste, qui travaille en secret, quand il dompte les crises larvées qui se disent en mots et devant lui tout seul. Non que le groupe, le corps social ne soient pas présents dans leur absence symbolique; mais ils ne sont représentés que par le petit rituel de l'échange d'argent. Et le paiement n'a rien de prestigieux : imaginez le geste d'un soliste allant toucher sa paye après le concert, quand il sort tout frais entouré des applaudissements du public...

Alors, comme il se passe, en langage, des tas et des tas de choses sur un divan, comme il se pleure des tas de larmes, comme il se pique des tas de malheurs, le psychanalyste, frustré dans le passé imaginaire du sorcier qu'il n'a pas le droit d'être vraiment, le psychanalyste se rattrape ailleurs. Geste touchant de naïveté et de retour aux origines : mais voyez, nous crie-t-il, voyez comme je fais des miracles. Ecoutez... et de se transformer, en public, en bateleur de foire, rameutant les badauds pour qu'au moins on l'écoute dans le récit de ses aventures en chambre. Et le voilà qui s'en va planter le chapiteau du cirque partout ailleurs, faisant son propre Monsieur Loyal, jouant à lui tout seul les entrées de clown, racontant inlassablement ses acrobaties, ses dangers, et le risque « mortel » qu'il subit tout le jour : l'angoisse des autres.

Théâtre et opéra.

Et puis il est arrivé que les Belles-Lettres ont commencé à lire Freud comme un auteur, plus seulement comme un docte. Puisque leurs plates-bandes étaient dévastées par les ravages des lectures décodantes, ils — les écrivains, les gens de cinéma et de théâtre — allaient s'emparer de Freud. Puisqu'on leur donnait à penser que la psychanalyse, c'était aussi autre chose, bien autre chose qu'une nouvelle façon d'intervenir dans la vie. Très tôt, les créateurs eurent un œil attentif sur ce qui se déroulait là, flattés des interprétations, heureux de voir se refléter comme en un miroir grossissant leurs productions, leurs taches d'ombre, leurs petits secrets. Et, côté théâtre, on se mit à transformer la cure en spectacle : c'est-à-dire à rendre Freud à une partie de ses origines. Le succès de ces entreprises est un signe sûr du boomerang culturel en question : Dora, la petite jeune fille qui tousse beaucoup, était bien un personnage du théâtre bourgeois; Serge, l'Homme aux Loups, hanté par les figures terribles d'un loup dressé enfilant une louve, un soir d'été, était bien un personnage d'opéra. En voyant *Dora,* au théâtre, écrit par Hélène Cixous, et *Histoires de Loups,* écrit par Georges Aperghis sous forme d'opéra, j'ai eu la certitude d'assister à un retour inévitable, et qui commence à peine. Lorsque Freud entreprend l'analyse de Dora, il se trouve pris avec elle dans les réseaux d'histoires de famille : le père de Dora couche avec une dame qui n'est pas sa femme, Mme K; et M. K. essaie de séduire la petite, qui n'est pas insensible au charme de la dame. Un vaudeville sans conséquences, une tragédie à la Bernstein, un drame bourgeois : *Au théâtre ce soir...* Sur scène, des ombrelles, des robes de dentelle, un univers aux éclairages tamisés, un peu de Visconti, beaucoup de Max Ophuls, une figuration à la fois quotidienne et luxueuse. Et, dans un coin, Freud, devenu personnage, Freud assistant au théâtre qu'il n'avait pas su maîtriser; Freud quelque part démuni, dépouillé de ses oripeaux légendaires, Freud impuissant. En ressortent les vrais personnages de l'action freudienne : Dora, la malade, et ses comparses à elle. En chute, comme un déchet devenu encombrant, les longs développements de Freud sur ses embarras, sa doctrine, son travail. Il ne reste plus de lui que le personnage du voyeur, débouté de son oreille.

Plus encore dans l'opéra de Georges Aperghis, *Histoires de Loups* : les personnages chantent tous, dans le grand style mélodique et dramatique (mélodramatique) investis donc du prestige et de la puissance de la voix. Freud, immobile, assis au centre de la scène, parle, réduit à la seule émission de voix non chantée. L'histoire de Serge suit le cours d'un opéra classique, avec des chœurs, des arias, des éclats, des voix mélodiques ou suraiguës. La parole de Freud est toute nue. On n'en est pas encore au moment où Freud sera — un jour — chanteur ou acteur véritable, à la fois héroïsé et banalisé; mais nul doute, cela finira par venir. Pour l'heure, le théâtre récupère son bien dans le récit des cures. Et cela ne plaît pas : un illustre analyste sortit de la représentation d'*Histoires de Loups* dans une rage extrême. Motif : cela n'avait rien à voir avec « ce qui se passe vraiment dans l'analyse ». Air connu. Bien sûr, que cela n'a rien à voir avec votre vie à vous, bien sûr. Mais que protégez-vous qui doit par principe échapper à tout travail culturel? Mais quelle est cette quintessence de la psychanalyse qui ne se retrouve que dans un espace clos, incommunicable? Il faudra vous en croire, et ne croire que vous? Vous défendez un titre de propriété, et vous vous refusez à la nécessaire perméabilité des pratiques. Mais cela n'a pas grande importance : la lecture de Freud, et de vous, ne dépend pas de vous. Non plus que les microrévolutions culturelles dans les pratiques signifiantes.

DEDANS

Freaks

J'avais déposé, juste après l'agrégation, un sujet de thèse comme on peut en rêver dans l'innocence complète de ce lourd exercice. Cela s'appelait tout uniment « le Paradis perdu ». Non, pas celui de Milton, fallait-il répondre aux universitaires qui questionnaient poliment, élevés à travailler dans un domaine fermé de barbelés. Non, le paradis perdu, le vrai, quoi. C'est avec ce titre dans mon bissac que je m'en retournai à Sainte-Anne, dans les murs, avec le vague soupçon que la régression

— gésir immobile dans un lit, couché en chien de fusil — et le paradis n'étaient pas sans rapport. Je mis un bout de temps à constater ce que là-bas tout le monde sait : le paradis perdu, c'est aussi l'hôpital, ses théâtres, ses promenades intérieures, coupées du dehors. Il y avait aussi, parmi les malades, ceux qui y venaient d'eux-mêmes, comme au seul endroit où ils pouvaient rêver, délirer, être malade en paix, même au prix du reste, ou à cause du reste. Régresser, c'est-à-dire sortir de la vie quotidienne, être reconnu malade mental, un paradis sans mélange. Mais l'hôpital, c'était aussi le théâtre, avec ses acteurs, ses metteurs en scène, ses lieux scéniques, les amphithéâtres où l'on présentait des malades. Car, pour faire acte de pédagogie, se tenaient à rythme régulier, devant un public d'internes et d'étudiants en psychologie — mais aussi d'acteurs et d'écrivains, ombres furtives de cette histoire — des « présentations » : une infirmière conduit par le bras un malade craintif ou fanfaron, qui doit, à la commande, raconter son histoire, là, devant tous, dans un endroit qui ressemble à un lieu persécutoire, plein d'yeux et d'oreilles, et pourquoi donc? Soit le malade crevait d'angoisse, et lâchait des bribes de malaise, soit, habitué à ces démonstrations, ou ravi de produire son discours, il débitait son délire et en faisait un numéro. Dans les deux cas, on avait honte pour les metteurs en scène, en blouse blanche, les psychiatres qui posaient des ques-

tions : « Et qu'est-ce qu'elles vous disent, vos voix, hein? » Henri Ey vient tout juste de mourir, qui perpétuait dans ce genre la tradition charcotique, version comédie musicale américaine, avec sa tête de clown coiffé d'une houpette. Oui, la présentation des malades, où assistaient alors et assistent encore beaucoup de futurs psychanalystes, ne diffère pas vraiment des présentations de monstres biologiques qui accompagnaient les grands chapiteaux américains dans leurs tournées. Freaks, and freaks encore; et encore le spectacle, fascinant et écœurant. Souvenez-vous de la dernière scène du film de Max Ophuls, Lola Montès*; l'aventurière, ayant fini de montrer dans le cirque le spectacle de sa propre vie, se repose dans une cage, comme une bête fauve, une manière de tigresse. Et, à travers les barreaux, elle abandonne ses deux mains à baiser, moyennant paiement. Femme-fauve, femme-bête, femme folle bonne à montrer au public.*

Au nœud où la psychiatrie installée engendrait aussi la psychanalyse, se jouait déjà le cirque Lacan, dans ses débuts. Tenant seul la scène, dans un discours où plus rien ne se montrait des fous, que ce qu'il voulait bien en raconter, et sur un autre mode. Mais le public était le même, passionné d'une parole dont il ne connaissait pas la parenté avec le discours universitaire. J'ai toujours été surprise de constater la passion des psychanalystes pour les numéros d'enseignement.

Comment peuvent-ils s'y laisser prendre? Encore tout récemment, je les ai vus encaisser sans mot dire un long morceau éblouissant prononcé par Jacques Derrida, qui les traînait dans la boue avec maestria. Ravis, ils étaient; jubilants, comme s'ils avaient eu droit à un somptueux cadeau de parole. Mais moi-même, je me suis laissé prendre à leurs petits systèmes, à leurs airs mystérieux, leurs interventions énigmatiques. Lacan joignait les deux, parlant à la fois comme le maître qu'il est, l'enseignant admirable, l'héritier de Bergson au Collège de France, et le mystérieux prophète qui parle pour ne pas se faire entendre dans la compréhension du sens. Et lui aussi traînait les psychanalystes dans leur boue, hystérisant la pratique secrète dans une parfaite mise en scène. Reprenant de Charcot la totalité moins un élément. La totalité : le rôle du shaman, le rôle de la femme hystérique, s'offrant à voir, s'offrant à l'oreille. Moins la cure, dont il parlait seulement et qu'il ne montrait pas. Je me bats contre ce fantôme, contre l'incroyable compulsion, que pendant des années j'ai partagée : aller écouter Lacan, sa musique. Recueillir des fragments de mots, des illuminations, des éclairs, collaborer à un sacrement « psy » et puis un jour cela passe, comme l'angoisse, comme l'amour. Cela s'en va, et ne reste plus que la question du dedans : d'où, l'origine de la passion pour le trouble, la folie, le trébuchant? D'où, la recherche intarissable des modes les plus périmés d'un imaginaire inactuel, celui que sortent, dans les hôpitaux et sur les divans, les prisonniers des histoires mortes? D'où, le retour, et non l'avancée?

Même passion que l'opéra : histoires finies, condamnées depuis longtemps, dont la séduction tient, et ne tient qu'au passé. Lola Montès, femme-fauve enfermée derrière des barreaux d'une cage, mais aussi Norma la druidesse, ou Tosca l'assassine, ou Violetta la sacrifiée, toutes participent du même étrange désuet que produit l'inconscient, le nôtre, maintenant, qui n'en finit pas d'avoir un siècle de retard. Qui répète, et jusqu'à quand, histoires de famille et de mort, dont se nourrit le romantisme foncier des psychanalystes. C'est sur la lecture du passé qu'ils ont assis leur richesse, leur richesse de pensée qui n'a de nouveau que le statut culturel. Maîtres à penser le passé, les déchirements, les passions que les écrivains avaient produits longtemps avant eux. Exploiteurs de vieux fantasmes, qu'ils ont pour mission de démythifier, mais dont ils sont tout emplis, partout ailleurs fatigués de l'avenir.

CHAPITRE IV

LES CONTREBANDIERS

Cultures.

Soit, Freud élimine le spectacle de foire, et instaure la psychanalyse. N'en reste pas moins qu'elle fonctionne, et réduit les troubles autant, sinon plus sûrement que les thérapeutiques à grandes mises en scène. C'est donc qu'il en demeure le principe même, dans sa structure mise à nu. Et il ne s'y passe rien que du langage. Et même, essentiellement, de la parole, entourée de petits systèmes de signes qui la supportent : silences, toussotements, bruits minuscules des corps attentifs, en bref, les signes minimaux du langage. Alors que dans la cure-spectacle, les signes qui entourent la parole sont maximaux, dramatisés, drapés d'accessoires. L'efficacité est la même : l'efficacité que Lévi-Strauss nomme symbolique, la renvoyant ainsi au système d'ensemble de toute culture, la nôtre, où s'inscrit la psychanalyse, les autres, où de toujours ont existé des formes analogues.

Une culture, comment c'est? C'est comme un bloc stratifié où des couches emboîtées les unes aux autres régissent la totalité des gestes, des mots, des pensées, des affects. Rien n'y échappe du moindre de nos souffles, du moindre de nos soupirs, à commencer par ceux qui nous échappent à nous, et qui forment nos inconscients. Pour exposer, pour clarifier, et donc en réduisant l'extrême complexité à quelques lignes de force, (comme on dit poignets de force) Lévi-Strauss en dégage des codes plus visibles que d'autres : les signes qui nous font nous nourrir, ceux qui nous font nous vêtir, aimer, baiser, faire des bruits que l'on nomme musique, et aussi penser. En d'autres termes, termes qui relèvent d'autres codes, ceux de la théorie, cela s'appelle règles alimentaires, systèmes d'habillement, mode, règles de parenté, et logique. Et puis *parler,* celui de tous ces codes qui demande le plus de travail pour y réfléchir, celui qui déplace plus que tous les autres. Car, avec de la parole, il est possible de rendre malade, de faire surgir des bosses et des verrues, de les faire disparaître, d'obtenir des contractions, des sudations, des excrétions, de faire disparaître des lésions organiques. De réaliser des miracles. Spinoza, qui écrivit le *Traité théologico-politique* pour circonscrire la notion de miracle et la réduire au rationnel, aurait su penser cette éthique du psychosomatique qui manque aujourd'hui à notre psychanalyse. Formidablement efficace, sur le seul terrain du corps, et, secondairement, sur les causes qui le rendent plastique, le langage s'inscrit donc dans le système d'emboîtement qui forme ce tout qui nous vit, la culture, sujet de nos actions et de nos idées. Et, en travers de ce bloc, l'idéologie qui reflète l'évolution du réel historique, fait évoluer, mais lentement, les blocs de codes.

Mais tout le monde ne vit pas pareil, ne mange pas pareil, ne s'habille pas pareil. Et, si les différences de classes sociales rendent compte des causes qui se traduisent en inégalités matérielles, elles n'expliquent pas, à elles seules, le surgissement de la folie. Ni les répartitions de rôles que la culture produit quant au langage. Car les uns et les autres ne parlent pas non plus pareil, puisque le fou qui délire, par exemple, parle pour lui seul un système en circuit fermé, à lui seul ouvert, pour lui seul rationnel. Incommunicable dans le moment où il est parlé; incommunicable, c'est-à-dire, anormal. Le normal parle comme tout le monde, et se fait entendre de tous; cette évidence conduit Lévi-Strauss à penser l'aliénation tête-bêche : c'est celui qui est sain d'esprit qui s'aliène en acceptant un code, et c'est celui qui est fou qui échappe au code et s'en fabrique un à lui. Tout au moins, dans le temps où la folie émerge, qui, un siècle plus tard, pourrait devenir la norme. Mais, à parler en avance, et autrement que l'autre, le « fou » déclenche le choc en retour : diagnostic d'aliénation mentale, et cet effort rigide et meurtrier de toute une culture pour réduire ce langage à des formes connues. N'était l'angoisse extrême qui accompagne le surgissement des langages singuliers, et la souffrance qui souvent en résulte, guérir ne serait pas nécessaire. Guérir, en un sens très général et très élémentaire, c'est donc rendre vivable l'invivable du langage, et de ses effets.

Donc, normaux et anormaux. Dans une hypothèse que l'on sent à la fois fragile et audacieuse, Lévi-Strauss imagine que l'existence des anormaux tient aux décalages de l'histoire : comme si, dans des mouvements analogues à des glissements de terrain, des maisons s'écroulaient qui ne protègent plus soudain. Des pans entiers subissent de grandes évolutions. Mais il y a des restes. Des survivants d'époques plus anciennes, qui ressassent dans des temps actuels des formes devenues archaïques, si lointaines qu'elles sont oubliées, qu'elles en deviennent folles. Etrangement — mais ce n'est plus Lévi-Strauss, c'est Michelet dans sa vision féminine de l'histoire — la résurrection des formes disparues produit du nouveau, dans un emportement dialectique où le passé renaît comme futur pour repasser ensuite. D'où la mythologie qui s'attache au fou : ridicule prophète, ridicule dans ses guenilles de ressuscité héroïque, prophète maudit et grandiose. D'où, toute proche, la mythologie de l'écrivain, puisatier du langage, qui s'en va curer les égouts où se sont enfouies les vieilles formes, pour les régurgiter sous forme de création.

Une réserve de mots.

Fable théorique : il exista, on ne sait pas très bien où, une réserve de mots, comme une forêt préservée, pleine de formes répertoriées d'avance par un ingénieur invisible — sujet divin, sujet-culture, sujet-histoire — qui les tient à disposition. Y viennent s'aventurer des explorateurs aussi imprudents que tous les explorateurs, qui s'y perdent ou en reviennent porteurs d'objets étranges, qu'on ne saurait nommer. Alors le peuple considère ces objets, dont il dépouille le porteur après l'avoir neutralisé, et qu'il s'approprie ensuite, en nommant le bizarre églysthème, la curieuse affidose, qui font dès lors partie du monde familier. Lévi-Strauss, puis Lacan appelèrent cette forêt la réserve des signifiants, indiquant ainsi qu'il y a une histoire du langage, une perpétuelle rénovation de ses formes et de son matériau.

Mais l'explorateur a payé de sa raison. De ce qu'on appelle sa raison, c'est-à-dire sa participation restreinte à la vie sociale. Cependant, à travers lui se constitue la richesse du peuple, qui s'en nourrit et peut nommer, peut continuer à parler. L'anormal est donc rigoureusement nécessaire au bon fonctionnement de la norme; il en est l'indispensable complément, le moteur d'un équilibre métastable, décalé, reposant sur des failles historiques qui produisent ces êtres intermédiaires. Ceux-ci sont aux croisées; à toutes les croisées; ils les incarnent, les médiatisent pour les autres, réglant la marche mécanique de la nourriture, du vêtement, du mariage des autres par leurs aberrations mêmes. Le malade mental représente pour le groupe ce que Lévi-Strauss appelle avec une grande force « des compromis irréalisables ». Compromis, ce mixte de formes actuelles et de formes en gestation, qui se dit dans le délire ou la névrose, mais compromis rêvé; irréalisable puisque le groupe ne vit pas ainsi, et donc, le refuse toujours. Le savant passe à l'exacte frontière où le compromis devient pensable; mais le savant se tient tout près du délire, comme en témoigne la mythologie du savant fou, toujours soupçonné de produire aussi la destruction, Frankenstein toujours gros de quelque monstre.

A la frontière, le savant, l'écrivain, ceux qui passent de la vie normale à une vie rêvée, ceux qui oscillent entre un langage qui se peut transmettre à tous et un langage qui ne fonctionne que pour eux. Mais aussi, à la frontière, le psychanalyste. Qui a été fou, comme a pu l'être Freud dans le secret de son auto-analyse, et qui s'est guéri, seul ou avec l'aide d'un seul autre. Qui a fouillé dans la réserve, avec une relative méthode, et en est revenu. Et qui a pour fonction, dans son fauteuil, d'écouter le langage anormal, en renvoyant du normal. Dans le même mouvement, il est encore fou quand il se fait oreille à un discours strictement singulier, et qui, en droit, lui serait inaudible s'il n'avait pas, justement, participé de la même aventure; et il n'est plus fou du tout, quand il interprète, réduisant le singulier à des schèmes communs, ce que lui ont reproché tous les amoureux du langage, tous ceux qui sentent, à juste titre, que « papa-maman-la-bonne » ne rend pas compte des fleurs de la réserve. Aussi bien ne s'agit-il pas de les cultiver en serres closes, mais de les transformer en du vivable, de les banaliser.

Comme le savant, comme l'écrivain, le psychanalyste, passant ainsi la frontière du normal et de l'anormal, est un contrebandier. Un contrebandier en langage, un passeur de marchandises dangereuses, qui traversent des frontières interdites et fermées pour être distribuées normalement dans un circuit qui n'en connaît pas les origines. Mais, à la différence du savant et de l'écrivain, qui passent en contrebande leur propre marchandise, le psychanalyste, lui, passe celle des autres, et il en vit, matériellement. C'est son métier, la contrebande, l'accompagnement des autres d'une frontière l'autre. Entre deux langages, il s'imprègne de la folie, de l'écriture, et de la science, trois termes pivots de ses mythes. Il ne sait lequel il est des trois : tantôt il se veut savant, tantôt écrivain, et il doit, par profession, résister à la folie dont il est l'écouteur privilégié parce qu'il a su l'être. Comment veut-on qu'il s'y retrouve, entre ces trois pôles magiques? Non pas vraiment que le *socius* l'oblige à choisir, qui s'arrange assez bien de certains glissements de fonctions, mais parce que joue l'idée inconsciente et larvaire d'une assignation de fonction dans une répartition imaginaire des finalités sociales. Encore faut-il séparer l'écrivain et le savant de celui qui traite la folie par le langage; car les deux premiers trouvent une issue normale dans la mise au jour publique du résultat de leurs travaux, alors que le psychanalyste est tenu au secret; mais le voudrait-il, qu'il ne pourrait restituer vraiment la transformation dont il est le voyeur et l'agent partiel. Alors il glisse des deux côtés, se fait savant, se fait écrivain, et publie des textes où se mélangent le théorique et le littéraire, avec, comme caution suprême, l'irréfutable de la pratique analytique, celle, vous savez bien, qui n'a rien à voir avec... Puisqu'il s'agit de tout autre chose.

Et voilà le moteur de la contrebande : le rappel, aux yeux de tous, d'une expérience secrète, de par son fonctionnement même, pour faire passer des produits qui sont un peu les siens sans l'être tout à fait, et qu'il dérobe à ceux auxquels il s'assimile, l'écrivain, le savant, ceux qu'il ne pourra jamais être à plein temps. Ecrivain, par surcroît, mais en plus, en prime, exactement comme Freud disait de la guérison : qu'elle vient par surcroît dans la cure. Savant, par décision, et pour entourer une pratique aventureuse avec une théorie d'autant plus rigide qu'elle règle des modalités variables selon les psychanalystes, et que chacun fera comme il pourra en croyant faire comme les autres. Et, tapi au creux de ce déguisement — le contrebandier passe la nuit, de façon obscure, essayant de ne pas être vu — le passé de folie, l'analyse de l'analyste, le « moi aussi » qui s'avère dans toute confrontation avec le discours déréglé, et le flottement...

DEDANS

Quelques lignes bleues des Vosges

Enseigner, comme je fais, au fond, c'est plus simple. Certes, le prestige est moindre, puisqu'il ne s'agit jamais que de répéter les trouvailles des autres, puisque la fonction d'enseignement est tout entière dans la transmission d'un héritage. C'est une tout autre fonction de parole : pas d'invention, pas de création, mais les pas dans ceux des prédécesseurs, bien assurés, je m'avance masquée en parlant indéfiniment leurs textes. Ou leurs démonstrations. Tout ce que l'enseignement a de commun avec la psychanalyse se situe d'abord dans la banalisation. Comme l'analyste réduit, puisque c'est sa thérapeutique, les réseaux infinis et dépenaillés de l'inconscient à des constructions de mémoire qui rendent le passé acceptable, l'enseignant réduit le texte qu'il doit expliquer à son plus simple appareil. Même s'il cherche, toujours, à en restituer la « richesse » : exerçant, lui aussi, dans un temps donné d'avance par tranches de quelques heures, il va, comme on dit, nécessairement plus vite que la musique, dont il transmet les règles pour que les autres puissent en jouir. Décevant métier, aussi peu shamanistique que possible. Métier d'ordre et de norme, de remise en place, si taraudé qu'il soit par les désirs de contre-ordre, et les envies sorcières.

On a pourtant dit le contraire. On a pourtant critiqué dans l'enseignant sa capacité à exercer un pouvoir de fascination, on a pourtant contraint Gabrielle Russier au suicide pour amour d'un « enseigné ». On a, de toujours, traqué dans la fonction d'enseignement ce qu'on lui supposait d'hypnotisme. On refait à l'infini le procès de Socrate, comme si l'enseignement laïque et obligatoire avait à voir encore avec un pouvoir maléfique, qui viendrait d'une troupe de disciples. Non : l'enseignement, actuellement, dans sa structure, est du côté des rhéteurs, ces vrais démo-

crates. Du côté de ce qui s'apprend sans mystère, qui démonte les trucs et les voiles magiques, pour permettre aux autres de pratiquer à leur tour le même exercice. L'aboutissement logique de l'enseignement, son idéal laïque, est donc bien, à l'horizon, de former d'autres enseignants, de transmettre les procédés mêmes de la transmission. J'ai dit des rhéteurs qu'ils me semblaient, par métaphore, de vrais démocrates : parce qu'ils ne cachent aucun secret, aucun trafic, et que l'astuce de Socrate consistait à se référer à un vrai essentiel pour les débouter de leur parole. Exactement comme l'analyste lorsqu'il donne comme argument sa pratique, et son mystère. Eleusis existera toujours, qui ne se donne qu'à certains, et pas à tous.

Mais il est vrai pourtant que l'enseignant aussi donne dans le panneau. Que, dans l'état absurde des systèmes d'inspection, en l'absence de règles établies, les « qualités pédagogiques » attribuées à l'enseignant — et dont dépendent ses promotions et son pouvoir d'achat — relèvent d'un semblant de shamanisme. Comme si le désarroi des idées conduisait inéluctablement à mettre en œuvre son corps, ses affects, pour faire passer un corpus devenu dérisoire. J'enseigne la philosophie. Terrain d'élection des glissements fous : c'est là que l'enseignement vire le plus volontiers à la mythologie socratique, à la pratique des sectes, à la fascination d'une parole. Ce sont des philo-

sophes qu'on a pu appeler les nouveaux gourous; ici ou là, ils se sont constitué un auditoire qui vient moins pour apprendre que pour assister. A un spectacle de plus. Déroulant la bobine, d'un fil de pensée qui est la leur, les philosophes gourous ne transmettent pas; ils font comme Lacan, ils donnent l'illusion aux autres de penser en même temps, alors que leurs associations sont singulières, leurs démarches faites pour être lues, non pour être transmises comme un corpus déjà reconnu. C'est le lieu des plaisirs, des agressions, des amours passionnées. C'est aussi le lieu où se neutralise l'enseignement, car, à être gourou, on perd la transmission et donc une part d'efficacité. On gagne en gratification ce qu'on perd en travail. Un « nouveau philosophe » — mi-gourou, mi-auteur — fâché d'être contredit, se promettait bien de « gourouiser » son interlocuteur. Façon de le promouvoir sur une autre scène, dont les vrais mécanismes échappent autant à l'enseignant qu'au psychanalyste : publication, interviews, presse, bonne presse, mauvaise presse, pas de presse, Machin n'a pas parlé de moi dans son article, vente, combien d'exemplaires, et tout un cycle où le narcissisme règne, triomphant, dominant, écrasant pour le gourou contraint désormais de soutenir son nom, quoi qu'il fasse.

Car après tout, pourquoi publier, quand on est enseignant? Cela non plus ne fait pas partie du contrat social de l'enseignement. Longtemps, il y a eu la Thèse. Oui, dans les statuts de l'enseignement supérieur, il a fallu longtemps que la « recherche » soit publique pour avoir accès aux fonctions les plus hautes — ne pas oublier, trois heures d'enseignement, le reste à la recherche. Puis une réforme récente a rendu possible la soutenance de thèse sans publication nécessaire. Les thèses — énormes, illisibles sauf pour quelques lecteurs, seuls vrais destinataires, qui recoupent parfois les cinq personnages du jury — continuent de plus belle. Mais par contre, les enseignants publient beaucoup. Et moi aussi. Cela se fait sans y penser, je veux dire que j'ai le plus grand mal à trouver les racines de cette histoire en ce qui me concerne. P..., un beau jour,, m'a demandé un article; une revue c'est déjà un appel magique; puis un autre, et puis le fil échappe. Et puis des livres, et puis voilà. La naïveté déconcertante de cet embryon de récit se donne pour ce qu'elle est : une tache aveugle en moi, qui touche sans nul doute à tout ce que je dénonce si fort dans les pratiques sociales des psychanalystes. Car je sais trop d'analyse, même si c'est bien peu d'être sur un divan, pour ne pas avoir appris au moins que toute démystification renvoie à soi. Je sais qu'avoir publié sous le nom d'un autre à qui j'étais mariée, a fait quelque part une confusion entre ce nom qu'il m'avait prêté, et le sien; que j'ai mis dix ans à reprendre le nom qui n'était toujours pas le mien, mais qu'au moins légalement je pouvais porter de toujours, retrouvant en cela une certaine part d'enfance; que c'est un nom bien français, alors que le nom de ma mère relève d'une évidente origine étrangère; qu'il se joue là-dedans le désir de recouvrer les deux morceaux de l'hermaphrodite parental... Exactement comme tout le monde. Je peux faire une liste rigoureuse des prétextes rationnels, qui sont autant d'excellentes et vraies raisons, pour publier, c'est-à-dire transmettre des idées, qui d'abord n'ont pas été les miennes, mais dont je sais bien qu'elles ne seront jamais « miennes », car justement je sais trop d'analyse, mais aussi de marxisme, pour nourrir dans la partie pensante de ma tête la moindre illusion sur la propriété des idées.

Personne n'a d'idées à soi, surtout pas les intellectuels qui en font profession. Tout au plus peut-on, puis-je prendre en un temps donné le relais des paroles écoutées, des mots entendus, pour les enfiler en une guirlande qui sera signée d'un nom propre. Mais de savoir cela avec sa tête ne résout pas les multiples détours de l'exercice de la pensée, et le désir idiot de penser autrement, pas comme lui, pas comme toi. Tout seul : illusion peut-être nécessaire à l'écriture de fiction, mais sans nul doute nocive, par les temps qui courent, pour l'écriture philosophique, puisqu'elle transmet, au lieu de procédés de pensée que d'autres peuvent reprendre à leur compte, anonymes, de la fiction cachée; encore une contrebande.

Ce qui se passe en douce, et qui fait lire, n'est pas de l'ordre des concepts, ou des analyses rigoureuses; l'effet de style qui, dans la philosophie, échappe à la parole normée de la stricte transmission. Effet de style : le mot est ambigu. Grandes envolées suspectes, du côté du faux-semblant... Non. L'effet de style est l'invention même, les ailes de la philosophie, car elle fonctionne, aussi bien qu'un texte littéraire, grâce à la métaphore. Et Descartes de parcourir d'un bon pas les forêts où le sentier figure la méthode, et Leibniz, le merveilleux magicien, invente des horloges réglées à la même heure pour imaginer la concordance des monades entre elles, et il écrit : « Les justes seront comme des soleils... » Me reviennent les fils ténus et poétiques que les philosophes sèment le long de leurs buissons, pour que le regard et la pensée suivent, les suivent, indéfiniment. Le chemin de Morija d'Abraham-Kierkegaard, et la rose de Hegel, et même les étoiles de Kant. Penser tout seul, impossible. Mais écrire seul, pour longtemps encore, à supposer que vienne jamais une pratique d'écriture à l'horizon collectif d'un nouveau mode d'être, aussi mythique qu'un partage sans commerce, c'est l'inévitable.

Et donc les enseignants, quand ils publient, répondent aux mêmes contradictions, aux mêmes désirs sociaux, que les psychanalystes. Ce sont les lignes de fuite de la pratique de la parole : ses lignes bleues d'une patrie perdue, à retrouver par la bande, sans vraiment jamais le dire. Toute pareille à eux, je rêve d'écriture. Toute pareille à eux, en parlant l'enseignement, m'échappent, dans la parole, des fragments de mots écrits, des bouts de langage qui se trouvent, pour faire passer le sens, et qui l'entourent. Où je retrouve, en deçà de la tradition laïque et austère qui fonde la mémoire de l'enseignement, l'histrionisme qui le relie aussi à la baraque de foire. Là, dans le même amphithéâtre, dans le même espace où se déplaçait Charcot, je m'expose, figurante dérisoire du savoir. Avec, en bouche, des mots qui ne sont pas les miens, et des mots que je trouve. Avec, face à ce public de plus en plus difficile sur les procédures de constitution et de transmission de ce qu'il est venu entendre, des trouvailles qui rendent cette situation possible. Allons, ce n'est pas le seul corpus de savoir qui me fait tenir debout quand il s'agit d'enseigner, mais tout autre chose que j'y étais venue chercher.

Mais alors la critique se déplace, délogée de son château fort. Les psychanalystes font simplement comme ceux qui ont affaire à la parole; au nom de quoi puis-je chercher à leur faire la loi? Il faut bien convenir que, ce qui agace, dans cette affaire, touche au passé de l'intelligentsia. Car d'un autre dehors, viennent des agacements du même ordre : X., écrivain, à plein temps, reçoit un roman de plus. Parcourt la notice biographique, et râle : « Naturellement, encore un professeur. On voit bien qu'ils ont le temps. » Et si c'était cela l'inadmissible, l'entrée en force de ces autres, de ces intrus, des nouveaux riches qui simulent et reproduisent tous nos tics, toutes nos manies, mais ne font rien d'autre que ce que les professeurs ont fait avant eux? Les voilà aussi reconnus que nous, aussi installés dans ce circuit mal défini de circulation des pensées et des mots. Les voilà entrés. Et, le choix de l'enseignement comportant aussi ses images sociales — pompe déchue, prestige en décadence, costumes fanés d'une profession paupérisée — il faut pouvoir penser qu'ils nous volent quelque chose, que nous n'arrivons plus à mettre en œuvre. Nous autres professeurs sommes devenus « enseignants », fauchés, travaillant dans une misère matérielle où se lisent à ciel ouvert les traces des splendeurs bourgeoises passées; nous maintenons tant bien que mal un statut qui s'en va du côté de la revendication, de la lutte pour notre survie, à la fois professionnelle et intellectuelle. Il y a certes ceux qui font durer le mythe, mais il leur faut entrer dans le circuit nouveau, et endosser la gourouité. Au sommet de l'échelle des images, la maison de rêve, le lieu qui agite les passions, fait crever d'envie les plus solides, leur donne le teint jaune et l'air vieilli : le Collège de France. L'institution la plus désuète, la plus traditionnelle, là où les étudiants n'en sont pas vraiment, où la société continue d'entretenir, à grands frais, et pour très peu d'heures enseignées, des penseurs. L'habit vert de l'enseignant, c'est la leçon inaugurale, brevet définitif, label de vieillerie, certitude d'écoute shamanistique. Un jour, plus tard, les psychanalystes entreront aussi au Collège de France. Mais pour l'heure, ils prétendent au maquis, jouant sur les deux tableaux d'une folie dont ils sont les porteurs, et d'une parole instituée qui les fait tout bonnement professeurs. Professeurs dans leur statut social, ils ont pris notre relais, à l'heure où nous avons, nous, rejoint pour la plupart ceux qui sont dans la rue pour manifester leurs luttes. Pas de danger qu'ils y descendent.

Si, pourtant, un jour où les deux grandes centrales syndicales avaient organisé une de ces séances entières où l'activité s'arrête pour faire place à la demande manifestée, criée, marchée, une fois j'ai vu un petit bataillon de psychanalystes. Ils étaient peut-être dix, une rangée dans le long ruban. Ils portaient une banderole écrite à la main, artisanale au milieu des banderoles soignées de ceux qui en ont la pratique et l'habitude. « Psychanalystes solidaires ». C'était gentil, touchant, et sans objet de revendication propre. Geste symbolique, geste de honte et de conscience, geste d'avenir quand même : pendant que les uns continueront leur ascension intellectuelle, les autres, peut-être, commenceront à se battre avec tous. La banderole finit ses jours dans une poubelle, précisément : ces gens-là ont au plus haut point le sens de la mise en scène.

CHAPITRE V

VOULOIR GUÉRIR, OU LA MÈRE DE RIMBAUD

Les passeurs.

Je sais bien autour de quel pot je tourne, et quel mot de leur langue j'ai évité. *Transfert :* déplacement de quelque chose, par exemple, illégalement, des denrées interdites dans la contrebande. Ils transportent et déplacent le poids des autres, et le psychanalyste est d'abord l'homme sur qui le patient pose ce qui, insupportablement, lui vient de ses images passées. Le psychanalyste est d'abord ce passeur qui reçoit, et transporte sur l'autre rive le poids inutile des charges trop lourdes. En le définissant ainsi, je l'inscris dans la lignée mythique de tous les passeurs des histoires, ceux qui font traverser les Enfers, ceux qui se trouvent par hasard au coin du récif, à la croisée des bois, pour perdre ou orienter le voyageur désemparé. Figure à la fois secourable et dangereuse, figure inamovible d'une divinité passante, provisoire dans une vie, quelqu'un que l'on rencontre une fois et qui vous accompagne, jusqu'à l'endroit où on sait soi-même son chemin. N'est-ce pas que ce sont des images pieuses, presque de catéchisme? Mais elles viennent de si loin qu'elles portent, au-delà de leur très chrétienne origine, les désarrois des temps où l'espace était dangereux, où les chemins étaient peuplés de mauvaises rencontres, de monstres à énigmes, de femmes ailées prêtes à dévorer, de quoi ne jamais en revenir. Et puis, dans un coin de tête, venu d'encore plus loin dans l'espace-temps, la figure du passeur amazonien — là où le fleuve est si large qu'il fait comme un pays à lui tout seul.

Celui-là conduit une pirogue, et se tient droit au milieu, tenant à distance deux passagers qui cherchent à se rapprocher, Lune et Soleil. Mais si Lune et Soleil se retrouvaient, si le passeur n'était pas là pour maintenir la distance, adviendraient de grands cataclysmes. Car les deux passagers sont des êtres instables, susceptibles d'être tour à tour, pour le Soleil, père bienveillant ou cannibale, pour la Lune, démiurge ou fille stérile. Chacun d'eux recèle le mal et le bien, l'équilibre et le déséquilibre; et le passeur dans la pirogue maintient la fragilité métastable d'un voyage sans rapprochement. Comme le passeur, le psychanalyste maintient la bonne distance : règle d'or de la pensée sauvage, loi éthique, politique, mythique, de tout rapport de concept, de tribu, d'amour. Son équivalent dans la langue des psychanalystes porte le nom d'*épreuve de réalité.* Epreuve : le terme signifie bien l'effort unique d'un dur passage, d'un rite d'initiation que l'on ne peut accomplir sans aide; d'un cran dans les étapes culturelles, qui fait devenir l'enfant adulte, l'adulte père ou mère, les parents vieillards, jusqu'à ce dernier rite où le corps se défait, où le passeur aide à une ultime séparation.

Eprouvant pour tous les protagonistes, le transfert, d'une étape l'autre, d'un désir l'autre. Et puis, ce terme étrange de *réalité,* la butée pour les psychanalystes qui travaillent, et ne travaillent que, dans l'imaginaire : c'est ce qui arrive, en dehors d'eux. C'est là où s'effectue la bonne distance, la dialectique fragile des actes et des fantasmes, dont par ailleurs ils se défendent en réduisant tout acte à un « passage à l'acte » : comme si l'acte, le moindre acte, ne pouvait se jouer justement que dans une épreuve, tout le temps de la cure, entre le passeur, les fantasmes et la vie quotidienne. *Passage à l'acte* : tout ce que peut faire le patient et qui l'engage dans le réel. Passage à l'acte : tout ce qui inscrit dans la vie du non-provisoire, mariage, enfant, amour, changement professionnel, en bref, ce sans quoi il est impossible de vivre. Et le passeur analyste maintient comme il peut la distance entre la rencontre provisoire, le passage, l'épreuve de la cure, et le reste, dont il ne connaît qu'une partie; celle qui lui entre dans les oreilles, transformée, émondée toujours dans les mots du patient. Il s'agit bien de transférer, non seulement les vieux désirs, mais encore, continuellement, ce qui survient dans le réel, et que le patient imagine avoir existé. Tel n'est pas le sens précis assigné par les dictionnaires de psychanalyse au mot transfert, qui désigne bien davantage un « processus » de fixation sur le psychanalyste. Mais le mot entraîne avec lui les sillages de ses mythes, et déporte la psychanalyse du côté de ses ancrages, ceux qu'elle refuse de prendre en compte. Transfert sur le psychanalyste, transfert de biens, transfert de populations, passage de rivière, à la dérive, au gré des vagues du fleuve.

Faire, ou l'acte impossible.

Il y va donc, dans ce passage, d'une aide. D'un recours et d'un secours. Pour devenir analyste, il faut en avoir formé au moins une fois l'idée sous la forme d'un *vouloir guérir*. Vouloir : encore un mot banni. Ils disent : *désir* de guérir, et, disant cela, lancent le ballon de la guérison dans le camp d'un pur fantasme. Il y a le désir de guérir, mais il vient d'ailleurs, et il faudra donc l'analyser. C'est-à-dire ensuite le tenir à distance, l'écarter, ne pas le reconnaître, et, même en le faisant sien peut-être, ne pas l'assumer sous cette forme. En employant le passe magique, le Désir, le vouloir-guérir est mis dans la suspicion. Vouloir : comment pourraient-ils effectivement faire usage de ce mot, puisque toute volonté, toute décision, ils ont pour mission d'en montrer les racines et les illusions? Pas de vouloir, pas de choix, mais des désirs mal reconnus, et d'abord celui qui les meut et les fait vivre matériellement. Oh, vous verrez qu'ils ont pour cela de bonnes, d'excellentes raisons, qu'on ne peut pas éluder, et qui sont convaincantes. Mais l'ellipse demeure, qui situe dans l'imaginaire et le fantasme la détermination simple, directe, des actes dans le réel. Vous êtes dans le désir de guérir, et vous prenez vos distances? Or vous exercez ce métier de guérisseur, cette fonction sociale. Entre les deux, un beau champ de manœuvre, qui permet à l'analyste, retranché hors des choix quotidiens, de continuer son train-train curatif tout en prétendant accomplir un autre travail. Transfert.

Dialogue emblématique : la mère de Rimbaud demandait à son génie de fils « ce que voulait dire » tel poème. Et le poète répondait : « Littéralement et dans tous les sens. » Se sont gargarisés de cette réponse des générations d'avant-gardistes éperdus d'écriture. Il allait de soi que vouloir ne voulait rien dire, qu'un mot ne *veut* rien dire, et que le langage dit. Donc, non-réponse, réponse poétique, fuite. A la question « normale » — vulgaire! — du sens, à la demande maternelle ingénue, le fils répond par la distance impossible à combler, anticipant par là sa fuite réelle et ses voyages abyssiniens. Merveilleux modèle, superbe métaphore, le bec cloué, je me tais, je me suis tue longtemps, l'évidence du fait de langage était devant moi, comment répartir, re-partir?

D'un pied trivial, en cherchant le *projet* confus, tout entaché de fantasmes, certes; trouvant ses racines dans l'enfance, soit; déterminé longtemps avant son exécution par d'inconscientes percées, c'est entendu; mais enfin, un beau jour, c'est actuel. Un jour, Pierre Rivière, l'assassin matricide des années 1835, parvient à tuer sa mère d'un coup de hache; un jour Aimée A., malade paranoïaque observée par Lacan, finit par trouver la célèbre actrice qui obsède ses rêves de persécution, et brandit le couteau. Un jour, quelqu'un achète un lit qu'il nommera divan, et commence à faire savoir publiquement qu'il y recevra des clients : ce jour-là, il est devenu psychanalyste, comme les deux délirants, le jeune homme et la femme, sont devenus assassins. Qu'on puisse retracer pas à pas dans le moindre de ses détours, la longue histoire qui aboutit à ce geste, ne l'annule pas, ne peut pas faire qu'il ait été accompli, et irréversible. Pierre Rivière rêvait de gloire et son désir tournait autour de son père; le désir d'Aimée n'était sans doute pas de tuer, mais d'étreindre une autre femme; et le psychanalyste novice désire sans doute tout autre chose, mais enfin, le voici installé, en position, assis, oreilles prêtes. On en conclura donc, par provision, et faute de mieux, qu'il faut distinguer le désir de devenir analyse du vouloir être analyste; mais, dès l'instant, qu'il y est, dans son fauteuil, le voilà en posture de guérir. Et nul ne me fera croire que c'est arrivé comme cela, sans qu'il sache : tiens, un divan, mais comme c'est curieux, quel drôle d'objet, et un fauteuil aussi, si je m'y asseyais? Oh, non, pas pour guérir, puisque c'est impossible, non; mais écouter, cela, j'ai appris par moi-même, en moi-même, et voici justement qu'on sonne à la porte... Tel est à peu près le scénario qu'on m'a raconté, quand on cherchait à m'expliquer que le devenir-analyse ne concerne pas, mais pas du tout, un quelconque projet professionnel. C'est une activité qui commence un jour, c'est là tout.

On est passé de l'autre côté, soi-même embarqué dans une pirogue à la dérive. On a bien en main son sac à provisions, rempli de ce qu'on sait : pourquoi la configuration parentale vous a conduit là, pourquoi toute la biographie de papa, maman, le petit frère et soi, est responsable de cette situation; pourquoi on a désiré cela. Mais qu'on y soit pour davantage? Et ce qu'on a voulu? Tout au plus vous répondra-t-on qu'on le saura plus tard, quand les premiers patients vous auront confronté à l'épreuve de ce qu'ils demandent, et qu'il ne faut pas leur « donner » : la guérison.

C'est ici que tout se complique. Car Freud a découvert qu'en répondant à l'urgence de la demande du patient — « Je vais si mal, aidez-moi » — on ne le guérit pas. Mais en lui répondant indirectement, par un détour tout simple qui commence par une non-réponse, le patient guérit. Je vous le disais bien qu'ils ont d'excellentes raisons. Reprenons du côté de Charcot. Sous hypnose, la paralytique se délie. La seule intervention du psychiatre consiste dans l'acte d'hypnotiser; et l'acte thérapeutique consiste dans la rencontre entre l'hypnose et la libération d'une parole refoulée, qui fait mal, ailleurs, dans le corps, lorsqu'elle ne peut pas se dire. Il suffira donc de mettre en place un dispositif qui rende possible la parole, pour qu'elle opère en se disant. Et pour cela, ne rien répondre, couper le circuit de la communication normale, ne pas intervenir, c'est ce truc génial qui fait l'essentiel de Freud, dans sa pratique. Il n'y est pas parvenu d'un coup — je ne parle ici que du dispositif de la cure; il a progressivement éliminé tout ce qui tendait à la forme sociale de la réponse, et jusqu'à l'échange de regards, circuit coupé qui pourrait donner l'illusion d'une communication habituelle.

Pas de réponse.

La « guérison » psychanalytique commence donc bel et bien par une fin de non-recevoir. A la demande d'analyse — demande explicite ou implicite de mieux-être — pas de réponse, mais une sorte de laissez-passer. « Il semble que ce soit possible, vous paraissez prêt, nous allons bien voir... » Nécessaire prudence en effet : que le psychanalyste s'en aille énoncer un soupçon de compassion ou une vague idée d'intervention — « Vous allez guérir, je vais vous guérir, ça ira mieux » — et le patient ne dira rien qui lui permette de sortir les vraies racines de son mal à vivre. La seule intervention de l'analyste, Freud la nomme « la règle fondamentale », dont les autres ne sont que les corollaires accessoires. Accessoires, le rituel d'évitement entre le psychanalyste et le patient (ne pas se connaître d'avance, ne pas se rencontrer dans des lieux prévisibles, n'avoir aucun autre lien que celui-là, proscrire la rencontre sexuelle, interdite); accessoire, le pacte sur les vacances, les horaires, affaire d'aménagement mutuel; accessoire même, du point de vue technique de la parole, l'échange d'argent qui s'appelle paiement. La règle fondamentale, c'est de tout dire, même et surtout ce qui n'a pas envie de se dire. Règle impossible : on ne peut jamais tout dire. Mais c'est la seule assertion de l'analyste, sa seule exigence : une fois énoncée, non répétée ensuite. Ensuite... se dira ce qui se pourra, dans le désordre et la confusion, dans l'éparpillement et le morcellement, jusqu'à ce que s'élabore peu à peu une continuité parlée d'abord à un — le patient — puis à deux — le patient et l'autre, l'analyste — à mesure que l'analyste, en ayant entendu de plus en plus, peut intervenir et parler à son tour.

C'est d'abord une règle qui contrarie radicalement, en son principe, le fonctionnement quotidien de la parole. Quand on parle, dans la vie — la psychanalyse étant et n'étant pas vraiment la vie — on dit des choses, on les *veut* dire, et, bien ou mal entendu, on obtient réponse, fût-ce une paire de gifles ou un sourire. Cette convention initiale fait fonctionner la parole, l'échange minimal que ne peut plus assumer le « fou », qui parle tout seul, comme on dit, ou qui se tait obstinément, ou qui parle d'autre chose. Mais le psychanalyste brise cette règle : à tout ce qu'on lui dit il ne répond jamais. Règle d'impolitesse fondamentale, qui est au principe de la cure. Sans réponse, la parole dérive, rebondit, repart, dans le silence ou le verbiage, et apparaissent alors des mots, des phrases, des accents que l'on croyait perdus, et qui font le travail. Le travail thérapeutique, que l'analyste soutient sans plus. Sans jamais plus que la non-réponse et l'intervention; ce n'est pas une réponse mais un renvoi, pas une réponse mais un détour, pas une réponse venant de quelqu'un qui dit ce qu'il pense, mais l'écho de quelqu'un qui dit ce qu'il a entendu. Et jamais ce qu'il en pense. Ce faisant, le psychanalyste se situe bien dans cette marge dangereuse où le langage dit tout seul, où il est essentiel de le laisser signifier seul, où comme le shaman, comme le poète, le psychanalyste va du côté du « littéralement et dans tous les sens ». Pas de réponse à la mère de Rimbaud.

Et c'est bien ainsi que commence à se raconter l'oubli du passé, et à se dénouer l'étau qui vous venait d'ailleurs; c'est ainsi que l'ailleurs se raconte, en même temps que disparaissent les « symptômes ». C'est ainsi que se passe la guérison, celle qui arrive « par surcroît ». Donc, c'est une affaire entendue, vouloir guérir n'est pas nécessaire; bien plus, ce serait une redoutable entrave. Et ce ne doit pas être facile de résister aux sollicitations incessantes, aux suppliques adressées de multiples façons, aux souffrances qui se mettent à se manifester pour que le psychanalyste, enfin, sorte de ce sacré fauteuil et fasse juste un petit geste, un seul... On sait même à peu près ce qui se passe lorsque la volonté de guérir entre dans le jeu de la pratique. Eh oui, on le sait, puisque c'est de là que Lacan est un jour parti en guerre, pour « revenir à Freud »; une vague psychologie, une finalité adaptative, un ajustement de plus en plus étroit entre le mode de vie de la société et la cure, bref, la psychanalyse américaine.

Made in USA et la révolution française.

Maudite, objet d'anathème, repoussoir horrible, antimodèle confus où se marque souvent, maintenant, le bon goût politique à quoi se limite souvent l'engagement des psychanalystes. En refusant à grand bruit la perversion made in USA, on refuse aussi l'objectif de la guérison, et là, vous voyez bien qu'on se préoccupe de politique, qu'on n'est pas dans l'idéologie, puisqu'on la combat. Oui, mais ailleurs. Oui, mais à l'autre bout du monde. Et puis Lacan, c'était en 1953, environ... Et si les anathèmes qu'il lançait n'étaient pas dépourvus de poids, à force, n'est-ce pas devenu le commode moulin à vent de tous les Quichotte psychanalystes, qui s'arment de pied en cap pour pourfendre une menace depuis longtemps écartée en France?

D'accord, c'était mal parti, là-bas; on y rééduquait les patients émotionnellement, on leur fabriquait des Mois robustes, calqués expressément sur le Moi de l'analyste, on cherchait à obtenir par l' « oblativité » du psychanalyste, qui s'offrait en pâture au patient, une bonne et brave identification où l'histoire du patient ne se construisait plus. On a même été jusqu'à forger l'hypothèse selon laquelle il existerait des Mois autonomes, instances étrangement extraites du dispositif freudien implacable — Ça, Moi, Surmoi — et protégées du déterminisme de l'inconscient. Des *no man's land,* zones isolées, où se joueraient les valeurs américaines d'une autonomie toute factice, simple reproduction des normes culturelles. Etre autonome, donc être sainement comme tout le monde. Oui, Lacan avait raison. Mais ce sont des paroles historiques, des appels du 18 Juin. Voyez le discours de la vérité, dans les *Ecrits,* ce culot immense de faire parler la vérité de l'inconscient, qui crache à la gueule des analystes qu'elle parlera toujours là où ils ne l'attendent pas; relisez le « discours du pupitre », ce morceau de bois plat qui les houspille, les bouscule, les maltraite. On ne va quand même pas commémorer indéfiniment ces paroles et se boucher les yeux : ce n'est pas là le principal travers de la psychanalyse en France. Et le malin Lacan, homme de culture, grand romantique, en savait assez pour draguer en même temps, et dans le même geste, son public avec tout autre chose. Des analystes se souviennent de l'émotion ressentie à la fin du fameux « Discours de Rome », voyez, répertorié comme une représentation de Callas ou une prestation politique. Lacan ce jour-là termina son intervention par un morceau des Upanishads. Prajapâti, les Devas, les Asuras, tout cela tournoyait autour du thème de la parole, et de ses effets. Doublement démonstratif; dans son contenu et dans sa forme.

Or ce n'est pas seulement une manie singulière, un tic qui prête à rire, une façon d'être simplement précieux, « gongoriste », comme on le lui a souvent dit, soit pour lui en faire reproche, soit pour le porter aux nues. C'est aussi pour faire pièce à la psychanalyse américaine que Lacan a changé de langue. Et du même coup infléchi la psychanalyse en France vers la littérature, et vers une nouvelle fonction sociale bien éloignée de la thérapeutique. Renouons le fil. Freud institue le processus de la cure, dans l'espace et le temps d'une parole inhabituelle, et, par là, thérapeutique. Aux Etats-Unis, sous la double poussée des psychologues et des psychanalystes qui venaient d'Europe en vagues d'émigration successives, la psychanalyse vire à l'adaptation soutenue par le volontarisme le plus évangélique. En France, dans le même temps, la psychanalyse suivait le train-train de l'Association Internationale, c'est-à-dire une institutionnalisation tranquille, occupée de cataloguer un peu plus précisément une névrose, une instance psychique, de détailler en rondelles la théorie freudienne, établissant une Kabbale pour les générations futures. Lorsque Lacan intervient, c'est autant par sa forme de langue que par les idées qu'il développe. Ses idées sont simples et guerrières : l'Amérique, loin d'être contaminée par la psychanalyse, l'a endormie et enfermée dans l'abjection. Pour en sortir, il faut retourner à Freud, au texte en allemand, le traduire avec exactitude, et tout repenser.

Exemple : la princesse psychanalyste, Marie

Bonaparte, traduit une phrase de Freud. *Wo Es war, soll Ich werden.* « Le Moi doit déloger le Ça. » Et vite s'il vous plaît : des images de mégères chassent avec des balais et des serpillières le pauvre Ça puant et souillé, le fauteur de troubles. C'est une morale, un impératif, un but : le psychanalyste doit obtenir le délogement du Ça par le Moi. Quand on se souvient que toute la théorie des psychanalystes américains pivote sur le Moi autonome, on comprend que Lacan ait eu la puce à l'oreille et soit allé y regarder de plus près. Le Moi, s'il est l'agent de la transformation, se fait flic, flic bonasse et placide de l'*american way of life.*

Que fait Lacan? Il épelle la phrase de Freud mot à mot : « Là où c'était, dois-Je advenir. » Plus de Moi, mais à la place, le Je réel pourtant difficile à escamoter. Plus de morale coercitive, puisqu'il s'agit d'une transformation du Je *là* où était le Ça. Plus de délogement, mais une continuité. C'est une autre morale, une autre psychanalyse : on n'adaptera plus le patient en renforçant l'instance de commandement quotidien, le Moi, mais on cherchera à « faire advenir » un sujet Je. On peut supposer que, sous la plume de Lacan, le *Je* français traduit du *Ich* allemand a valeur morale de prise en charge, ou au moins d' « assomption » : qu'au moins le sujet existe comme instance entière — même divisée par l'inconscient — pour savoir quels sont ses désirs et s'en arranger à sa façon. En un tour de traduction, c'est-à-dire autant dans le travail de langage que dans les objectifs poursuivis, Lacan a transformé du Freud et montré la défiguration dont il était l'objet.

Mandarins.

Il était donc logique qu'il en tire des conclusions sur le métier de psychanalyste. Et qu'il affirme avec force que le psychanalyste doit être « lettré ». Ce pour plusieurs raisons : parce qu'il faut pouvoir traduire tous les langages en autant de versions, les langages des patients — conscients et inconscients — comme ceux de Freud ou d'autres; et parce que l'analyste inculte ne pourrait entendre aucune des ruses que le désir emploie pour s'exprimer. Parce que, en définitive, pour entendre du langage, il faut *savoir* l'entendre, et donc savoir. Pas un savoir directement utilisable, directement transmis : le psychanalyste ne se « sert » pas des notions théoriques qu'il connaît par ailleurs, il ne les dit pas sous forme idéelle, il n'en parle pas. Pas plus qu'il ne parle de ce film qu'il a vu hier, et que justement lui raconte le patient : mais pour entendre, la référence est nécessaire. Des références, comme on dit de ceux qu'on emploie, et comme on dit autour des citations, des textes qui font le matériau de l'enseignement. Des références indécises, imprécises, qu'à grand-peine Freud, puis Lacan ont essayé de préciser : ce qu'il faudrait qu'un psychanalyste sache, en plus de la formation à l'écoute que constitue sa propre psychanalyse. C'est un surplus, une prime; c'est, dans la situation des psychanalystes aujourd'hui, la brèche par laquelle s'engouffre la plus grande cuistrerie, leur actuelle déviation. Pour Freud, la culture du psychanalyste c'était un peu de mythologie, un peu d'histoire, un peu de littérature, de tout un peu, en bref la projection mal définie de sa propre culture générale; blanc complet sur des formes naissantes, le cinéma, ou sur ce à quoi il était presque sourd, la musique; pour Lacan, même chose, version lacanienne, et linguistique en plus. Et des kyrielles de petits lacaniens se collèrent à l'étude des mathématiques, de la géométrie, se mirent à lire avec frénésie, selon les années, Platon, Aristote, Foucault, Victor Hugo ou le dernier poète japonais découvert par le Maître, pour devenir enfin l'image proposée au miroir, le lettré psychanalyste.

Bien trouvé, ce terme de lettré. Un petit air chinois de tradition élitiste, un quelque chose qui dure et dure et résiste à l'épreuve de l'histoire, assez paradoxal pour stimuler la vocation au rebrousse-poil, « moi je n'ai pas peur de me dire lettré », et entraînant avec lui, mine de rien, tout un réseau savamment articulé. Le lettré est celui qui peut entendre la lettre, et la lettre, c'est la matérialité même du langage, l'élément sur lequel travaille le psychanalyste quand il interprète. Le lettré n'est plus illettré. C'était avancer par la bande une grande évidence sociale : que les psychanalystes, en apprenant leur métier, apprennent de la culture qu'ils ne connaissaient pas. Ce qui est vrai de tout métier, et ne se joue précisément pas dans la « formation » du psychanalyste. Car, en toute rigueur, le psychanalyste reste celui qui acquiert sa formation par sa propre analyse, suffisamment poussée pour lui permettre d'en entendre d'autres. Rien n'empêcherait donc que n'importe qui, issu de n'importe quel milieu, puisse accéder à cette pratique. Mais voilà : cela ne se fait pas. Entendez bien cette expression en son sens le plus poli : cela n'arrive pas, et surtout, il y aurait quelque part une implicite incorrection. L'apprenti psychanalyste, qui s'en va trois fois par semaine causer sur un divan, où il est tombé comme tout le monde pour se dépêtrer d'une vie difficile, glisse, de fait, dans des lieux où on cause de tout autre chose. Où il entend parler de philosophie, de science, de littérature, où des noms propres lui arrivent dans les oreilles, où il apprend ce que disait Freud, ce que pensait Freud, et encore ce que refoulait Freud. Il baigne en culture générale, dans ces endroits d'enseignement parallèle. Là, et là seulement — et pas sur le divan — se fait, en vrac, de bric et de broc, sa formation sociale. Qui le fera accéder au statut social de psychanalyste, et non pas qui lui servira aussi pour entendre.

Encore cette coupure irritante, et insaisissable en droit, entre le cabinet du psychanalyste, et son dehors. En droit, c'est légitime, et Lacan l'explique de façon convaincante, que le psychanalyste soit lettré, qu'il sache au moins la langue qu'il va entendre, puisque l'inconscient la parle. Mais en fait, c'est faire bon marché de l'apprentissage de la lettre, des années d'acculturation; et c'est croire qu'une institution psychanalytique, fermée sur elle-même, allait suffire à contenir les idéologies larvées dans l'apprentissage de tout savoir, leurs puissants réseaux, qui engendrent la référence à des maîtres. Puisque nulle part la prégnance de la parole dominante de l'enseignant n'est plus forte qu'auprès de ces personnages qui, tout le jour, accumulent de quoi s'en défier. Puisque tous sont avides du moindre pet théorique qui se formule, attentifs à ne manquer aucun wagon d'un train qui passe et où ils sautent en troupeau derrière leur chef, quel qu'il soit, pourvu qu'ils ne soient pas tout seuls et qu'il s'agisse de choses de l'esprit. Comme certains étudiants, les psychanalystes sont affectés gravement de psittacisme. Encore les étudiants ont-ils l'excuse de se servir des langages d'autrui, pour apprendre à s'en fabriquer un à la longue; encore faut-il dire que souvent, ils peuvent avoir l'illusion qu'on le leur demande. Mais les psychanalystes? Il faut bien supposer que l'aspiration à devenir lettré passe aussi par un formidable, éperdu besoin de reconnaissance sociale.

Reconnaissance qu'ils appuient sur les dangers de la « guérison ». Bien. Récapitulons.

Le psychanalyste est appelé à guérir : ainsi l'exprime la commande sociale qui le fait exister. Ainsi en décident ceux qui viennent demander de l'aide.

Mais la technique freudienne a prouvé son efficacité en mettant entre parenthèses le désir de guérir, et d'intervenir activement dans les affaires du patient. S'y substitue une pratique de non-intervention, qui suspend la guérison à un processus de transformation qui l'obtient en plus, en surplus.

Désirer intervenir est le signe que le psychanalyste cherche à obtenir une figure précise de son patient, à le fabriquer comme lui, psychanalyste, voudrait qu'il soit pour qu'il se porte mieux : là intervient l'idéologie, comme le montre l'exemple topique de la psychanalyse américaine.

Pour assurer le psychanalyste dans cette difficile maîtrise d'une passivité organisée et efficace, Lacan détourne la psychanalyse de la psychologie où elle s'enlisait, et introduit la nécessité d'un savoir culturel, qui fera du psychanalyste un individu suffisamment cultivé pour entendre.

Mais du même coup, il ouvre toute grande une autre porte, celle de la promotion sociale du psychanalyste, appelé en masse à faire partie de l'intelligentsia, sur les traces d'un guide.

La guérison fait les frais de l'opération : entre-temps, elle est passée à l'as dans le projet social. Le psychanalyste n'est plus thérapeute, mais il est un intervenant culturel, un intellectuel au sens noble; sa mission, c'est de transformer la culture.

« Tout retour à Freud, qui donne matière à un enseignement digne de ce nom, ne se produira que par la voie, par où la vérité la plus cachée se manifeste dans les révolutions de la culture. Cette voie est la seule formation que nous puissions prétendre à transmettre à ceux qui nous suivent. Elle s'appelle : un style [1]. » Le psychanalyste est donc un styliste, formé comme tel, pour procéder, en passant par son origine absolue — Freud, ici nommé —, à une révolution culturelle. Et les patients s'intègrent dans ce projet grandiose. Et servent à cet usage, merveilleux réservoir de scénarios, d'exemples, d'histoires, de romans, inépuisable et vivante réserve pour le style des psychanalystes. Le tour est joué.

Histoire de Mme Victoire.

Il arrive que des psychanalystes se posent ces problèmes, il leur arrive — plus que je n'ai l'air de le croire dans ma virulence d'analysante — de prendre conscience de leur histoire.

Mme Victoire est arrivée un beau jour dans

1. *Ecrits,* de Jacques Lacan, Seuil.

le dispensaire de banlieue où Mme Z., psychanalyste, exerçait ses fonctions. Mme Victoire venait avec sa fille Janine pour une psychothérapie, guidée ainsi par son enfant et venant consulter pour elle, comme tous les parents qui utilisent inconsciemment ce truchement pour signifier leur malaise. Alors, on voit l'enfant, et on « suit » les parents : ceci est l'histoire d'une mère « suivie » [1].

Entrent la mère et la fille, se bousculant l'une l'autre. Elles s'interrompent sans cesse, au point que Mme Z. fait sortir Mme Victoire pour enfin entendre la fille. Du coup, Janine devient muette, gentille et calmée, pas du tout semblable au portrait qu'en dessine sa mère, qui la décrit comme un monstre agité et invivable. Mme Victoire ne peut parler à sa fille qu'en hurlant, d'une voix très forte, qui tombe tout doucement lorsqu'elle parle d'elle et de sa propre histoire. Le même scénario se répète plusieurs fois : Mme Victoire fait irruption dans la pièce et empêche sa fille de parler. L'analyste en conclut que c'est elle qui a grand besoin d'être écoutée, et lui propose un marché : Janine aurait ses séances et Mme Victoire les siennes. Mais Janine manque ses séances, et sa mère vient, sous prétexte de l'excuser. Elle vient, et elle parle : la voici en analyse.

Par scrupule, et parce qu'il ne faut jamais oublier le « tiers » absent, la psychanalyste convo-

1. Texte anonyme, comme tous les textes de la revue *l'Ordinaire du psychanalyste,* n° 2.

que le père. Camionneur, paumé, bien embêté par toutes ces histoires, il parle surtout de sa femme. On apprend peu à peu l'histoire de cette femme, à travers hurlements et péripéties. Elle est enceinte, et arrive un beau jour avec le bébé. C'est à nouveau une fille, et comme la première elle hurle. Enfin, comme leur mère... Et pendant que le bébé crie de toutes ses forces, les deux femmes, qui ne peuvent plus s'entendre, se mettent à rire, sortant ensemble du malheur de Mme Victoire. La psychanalyste attrape l'enfant, la met sur un divan — justement — et le bébé se calme. Janine joue dans son coin, et Mme Victoire parle à voix basse, pour ne pas réveiller l'enfant.

C'est dans cette situation peu orthodoxe, mais où l'essentiel du dispositif se trouve préservé, que se déroule l'analyse de Mme Victoire, femme de ménage. Pendant quatre ans, et clandestinement, puisque le dispensaire s'occupait exclusivement d'enfants. On ne saura rien du détail de son histoire, car la préoccupation de la narratrice ne concerne pas Mme Victoire comme « cas ».

Un beau jour, Mme Victoire se trouve en fin d'analyse. C'est-à-dire qu'elle va aussi loin que possible dans la compréhension de son histoire, jusqu'au point où une butée apparaît : « Je ne comprends pas plus loin que ça », renvoyé par la psychanalyste qui, elle non plus, ne peut aller au-delà.

Mais en même temps, il lui arrive une drôle de chose, à Mme Victoire. « Avant, personne ne me parlait, maintenant, partout où je vais, on me parle, partout où je fais des ménages, on me traitait comme une " petite tête ". J'ai maintenant l'impression qu'on me demande toujours des conseils. C'est fou ce que les gens peuvent dire sans le savoir, on se sent tout gêné de les entendre. C'est comme ici... mais je ne peux pas le dire, ils croiraient que je suis folle... je ne suis pas analyste... Peut-être que je leur sers quand même parce que je les écoute au fond comme personne ne les écoute. C'est sans doute pour ça qu'ils me parlent tant. Des fois ça me fait rire, j'ai envie de leur dire : vous ne savez pas que je suis juste votre femme de ménage?... Mais des fois je vais pas bien. C'est pas comme avant où personne ne me parlait, au fond c'est bien pire. On me parle et je ne peux pas répondre. Alors je suis encore plus seule qu'avant. »

Ecoutez cette voix avant de poursuivre. Vous qui peut-être avez ouvert Lacan ou simplement lu ces lignes que j'ai citées tout à l'heure, lisez le discours de celle qui parle d'ailleurs, et il s'agirait de la même chose? Mme Victoire ferait-elle, comme M. Jourdain, de l'analyse sans le savoir, ô miracle? Pas du tout. Mme Victoire est véritablement devenue psychanalyste. Elle a même acquis une « grosse tête », elle qui en avait une petite, signe qu'on lui reconnaît tacitement un pouvoir non désigné, celui d'entendre. Elle a même le signe secret, dont bien peu d'analystes parlent, sauf très privément : l'angoisse tenace d'être seule, parce qu'elle entend trop. Solitude de la frontière shamanistique où Mme Victoire se trouve de fait. Elle est devenue psychanalyste.

Mais non. Elle devrait devenir psychanalyste, ouvrir un espace pourvu d'un divan et d'un fauteuil, mais non, cela ne s'est pas produit, au grand dam de sa psychanalyste, confrontée à la contradiction sociale de la psychanalyse, et à l'origine de classe de Mme Victoire. Elle n'a pas pu aller plus loin et tendre la main à Mme Victoire pour lui faire franchir le pas social qui la séparait du métier.

Ecoutons maintenant la psychanalyste en fin de course, à court de réponses : « Qu'est-ce qui rendait impossible " l'accession " de Mme Victoire à la pratique analytique? Je pense que c'était le seul fait que Mme Victoire était femme de ménage. Bien que nous nous soyons rejointes d'une certaine façon dans le savoir sur le désir, le sexe, la mort, son savoir universitaire restait nul et c'était la seule différence entre elle et tout autre analysant arrivé au point où une analyse est reconnue comme didactique... Je ne pense pas être la seule analyste à avoir ainsi " sacrifié " une analyse (une analyste) en réduisant à la solitude et au silence social un analysant dépourvu de " culture ", et néanmoins analyste. Une autre pirouette consiste à dire : mais c'est très bien, c'est elle la véritable analyste, elle fera du bon boulot parce que justement elle ne sait pas. Alors, elle sait ou elle ne sait pas? » Eh bien, elle sait l'inconscient, mais elle ne sait pas devenir une lettrée. Et Mme Victoire mit fin à son analyse, vouée à écouter ses patrons entre l'aspirateur et la vaisselle.

Mais dans un discours vrai qui prouve, s'il en était besoin, qu'on peut parler de l'inconscient et de l'écoute thérapeutique sans un mot de la langue des psychanalystes, elle désigne clairement ce qui pousse quand même l'analyste à devenir analyste : la capacité d'écoute, le désir réprimé de donner des conseils, la relativité d'une action où l'analyste sert d'intermédiaire entre le patient et lui-même, où il n'est que passeur, et cela la fait rire : « Vous oubliez que je suis juste votre femme de ménage? » Elle désigne quand même le désir de guérir, ou le vouloir guérir, qui n'aboutira pas. Faute d'appartenir à cette classe aisée qui, elle, accède depuis longtemps au métier de psychanalyste, par ses entours, par ses bandes, par les codages sociaux qui n'ont rien à voir avec la pratique thérapeutique : la culture, les lettres, parler en public, écrire, l'intelligentsia.

DEDANS

Dérobade

« Vous qui êtes fille de médecin », disait à l'autre bout du fil cet ami psychanalyste amical et grondeur, « vous devez bien savoir que... » Je ne saurai jamais ce que j'étais censée savoir, je l'ai oublié, si même je l'ai entendu. La phrase frappe au vol, et saisit ma généalogie, toute bête, toute simple; questionner la guérison, les psychanalystes, alors, médecins ou pas médecins? Chercher à toute force à les assigner — dites-moi qui vous êtes — cela s'enracine, voyez comme c'est, dans une mythologie paternelle. Mon père était un soignant, un vrai — mais non justement, pas tout à fait, puisqu'il avait choisi la recherche médicale plutôt que la profession de médecin. Mais, comme par une sorte de remords, le stéthoscope était là avec lui, toujours prêt à fonctionner; la main, prête à enserrer le poignet pour prendre le pouls; la trousse en réserve, pour signifier la fonction. Il voulait, à toute force, guérir. Personnage de toute ma vie sur lequel, maintenant, j'hésite à continuer : mais après tout, qui cela regarde-t-il? De l'auto-analyse — ou de cette fiction que j'annonce comme telle — à la légitimation d'un discours, le pas est si petit que je crois le franchir. Il n'en reste qu'un idéal mythique : celui, impossible à tenir sans doute, d'un discours théo-

rique, qui, pas à pas, pourrait dire ses racines subjectives. Non pas allusivement, comme on en trouve des traces dans certains écrits pudiques; mais méthodiquement. « Je sais d'où je viens; tous, vous pourriez le dire aussi précisément; cela n'apporte aucun élément d'information nécessaire au raisonnement. Mais cela en apporte à la vérité de ce discours, car, s'il peut dire lui-même ses propres ancrages, faire sa généalogie durant le temps qu'il s'écrit, le théorique apparaîtra comme ce qu'il ne cesse d'être : une projection de soi, comme toute écriture. Et, loin de lui enlever en portée générale, cela devra lui en ajouter, puisque chaque fois la question mérite d'être posée. Althusser, d'où viennent tes questions à toi sur ce qui se serait perdu dans ton parti? Lacan, d'où te viennent tes anathèmes? Vous qui pensez dans le registre implicite d'un universel mythique, quel passé tire les ficelles de la marionnette théorique? »

Mon père est mort. Les pères sont morts. Ceci est un travail de deuil.

CHAPITRE VI

TOMBEAU DE GRODDECK

Les malades de Sigmund Freud.

« Demander, le sujet n'a jamais fait que ça, il n'a pu vivre que par ça, et nous prenons la suite. » Nous, psychanalystes. C'est encore le vieux Lacan, dans un des rares textes qui résiste à la relecture, dépouillé des attraits de style, un texte où il « se croise ». (J'emprunte ce terme à la tauromachie. Le torero se croise quand il se pose bien en face des cornes, immobile, tenant la muleta : ou lui, ou ce chiffon rouge.) Car, cela n'étonnera personne, Lacan n'a pas éludé toutes ces questions; simplement, les réponses ont débordé de toutes parts, et lui avec, à la dérive.

Ce texte s'appelle simplement : *la Direction de la cure.* On y trouve une démonstration évidente. Sur le circuit de l'offre et de la demande dans l'établissement psychanalytique. Si je — je, psychanalyste — frustre le patient en ne lui répondant pas, c'est qu'il me demande quelque chose. « Bien sûr, sa demande se déploie sur le champ d'une demande implicite, celle pour laquelle il est là : de le guérir, de le révéler à lui-même, de lui faire connaître la psychanalyse, de le faire qualifier comme analyste. Mais cette demande, il le sait, peut attendre. Sa demande présente n'a rien à faire avec cela, ce n'est même pas la sienne, car après tout, c'est moi qui lui ai offert de parler. »

Tiens? L'analyste à l'initiative? Telle est bien la vérité de la règle fondamentale : une contrainte, soit, mais aussi une offre. Offre à laquelle il n'est pas question de (se) refuser; c'est la condition absolue de possibilité de l'analyse. On parle librement, mais à partir de cette butée ordonnatrice. Et, comme conclut Lacan-marchand : « J'ai réussi en somme ce que dans le champ du commerce ordinaire on voudrait pouvoir réaliser aussi aisément : avec de l'offre j'ai créé la demande. » Manœuvre publicitaire en chambre, la règle fondamentale.

Que voulait le père fondateur, Freud, dans ses errances de débutant? Il n'est pas bien sûr que l'établissement de ce petit commerce lui ait été connu. A lire la correspondance avec Fliess, et les manuscrits qui l'accompagnent, au temps où tout était en recherche, hésitant, on trouve — on ne trouve rien sur cette demande de guérir qui soutient radicalement le processus analytique. « Lorsque je ne suis ni bien disposé ni maître de moi, chacun de mes malades devient pour moi un esprit malfaisant. » (Lettre 130, 11-3-1900 [1].) Ailleurs, *passim,* éparpillé, la profonde répugnance devant le malade, la malade. Solution dérivée, source de toutes les contradictions d'aujourd'hui : le malade, c'est du matériau pour la science. Que dit-il juste après ces mots terribles où il désigne le malade comme maléfique (shaman refoulé, sorcier résistant de toutes ses forces aux charmes qu'il veut maîtriser)? : « J'ai vraiment cru que j'allais devoir succomber, mais je me suis tiré d'affaire en renonçant à tout travail mental conscient pour continuer à tâtonner aveuglément au milieu des énigmes. » Plus loin, il soulignera combien sa vie est limitée : plus de cigares, plus de procréation, plus de contacts humains et un entourage de bourreaux, sa famille. On ne s'amuse pas dans l'univers de Freud. Partout, l'angoisse de guérir, et la dérobade. Partout, le malade comme énigme à résoudre, bête à produire des résultats probants — ou non — pour la Cause.

« J'ai commencé l'analyse d'une amie (Mme A...) une femme de premier ordre — ne t'en ai-je point déjà parlé? — et je constate à nouveau la façon dont tout concorde. » Celle-ci a encore de la chance : tout concorde. Elle souffre pour la cause : tout concorde. Et, à l'origine proche de ce recul, une excuse, rationnelle et limpide : « Pratiquer la médecine générale au lieu de se spécialiser, se

1. *Naissance de la psychanalyse,* Ed. P.U.F.

servir, dans le travail, de toutes les possibilités d'investigation médicale, traiter son malade comme un tout, c'est là seulement ce qui permet d'obtenir satisfaction réelle et succès matériel, mais pour moi il est trop tard. » Trop tard : trop de soucis matériels, manque de temps pour « combler les lacunes du savoir », trop tard. Et, en écho émouvant dans l'*Interprétation des rêves,* le rêve *princeps* de l'*injection faite à Irma :* Irma est malade, de plus en plus malade, elle a des eschares dans la gorge, il va s'y mêler de la dysenterie, elle fout le camp de partout, Irma. Deux médecins, trois, s'en occupent, il faut lui faire une injection, quelle angoisse, l'injection sera-t-elle suffisante pour la guérir, alors que Freud, le rêveur, la « soigne » par la psychanalyse?

Rêve fabuleux, traversant tout l'imaginaire de Freud quant à la médecine, la famille, les femmes et la psychanalyse. Le rêve dûment dépouillé par les soins de son rêveur Freud, que trouve-t-on, un peu en marge de ce qu'il raconte? Deux classes, deux genres, deux espèces qui sournoisement se livrent à une guérilla en chambre autour de la guérison. Les femmes, et les médecins. Les femmes, ces putains de bonnes femmes, ne guérissent pas; même, elles osent mourir. Irma, le personnage du rêve, n'en finit pas de développer symptôme sur symptôme : mal à la gorge, à l'estomac, au ventre, air pâle et bouffi, des taches blanches, et puis voilà-t-y pas le plus fort, n'a-t-elle pas un vagin qui lui pousse dans la bouche? Le rêveur y voit « d'extraordinaires formations contournées qui ont l'apparence des cornets du nez », et cela lui rappelle que son ami Fliess établit un rapport d'analogie entre le nez et le sexe féminin. Encore une petite matité côté poumon, encore une menace de dysenterie, et le sort d'Irma est réglé. *Exit* Irma.

Entrent sur ses talons fantasmatiques une horde de femmes auxquelles elle renvoie dans la tête de Freud, un défilé de malades : celle qui puait du bec; celle qui est morte de diphtérie; la propre fille de Freud qui porte le même prénom qu'une certaine Mathilde morte... par la faute de Freud qui avait fait une prescription erronée; une tuberculeuse; jusqu'à une vieille dame atteinte de phlébite. Ouf, celle-ci, il y a juste des piqûres à lui faire, rien d'autre, peut-être le docteur — Freud — arrivera-t-il à la guérir... Et, bien en deçà de l'exposé auto-analytique de Freud, tapie, la « maladie » de sa femme Martha : une injection réussie. Elle vient de lui apprendre qu'elle est enceinte.

En face, luttant dans la défaite, les médecins honteux. Freud, le Dr Otto et Léopold, sortes de Footit et Chocolat de la médecine, l'un insouciant l'autre pointilleux, et, derrière eux, Fliess. Et encore plus loin, le médecin qui, sur les conseils de Freud, a succombé à une trop forte et trop régulière prise de cocaïne. C'était comme le sulfonal administré à la petite Mathilde, il ne pensait pas que ce pouvait être dangereux, Freud. Ils en sont morts, les malades de Freud. Dans la plupart de ses rêves, réapparaissent ses doubles coupables, coupables comme lui de mal soigner, de ne pas savoir guérir, inquiets des résultats de l'emploi des médicaments, mais combien plus inquiets, dans la tête inquiète de Freud, des résultats de la psychanalyse. Et si c'était une erreur, si ça ne marchait pas?

Dans les rêves, une profonde inquiétude, une indépassable culpabilité — je suis un mauvais médecin, je ne sais pas assez de choses, il est trop tard pour moi, maudite soit ma femme qui m'a fait une famille et des enfants qu'il faut nourrir —; dans le discours théorique, une profonde assurance, une occultation nécessaire sur laquelle se construit la « science » : non pas la thérapeutique, mais la science. Que la science produise des effets dans le réel, et qu'elle puisse faire œuvre de transformation, certes; mais là n'est pas l'essentiel, puisque les trois tâches impossibles — toutes tâches de transformation — sont aux yeux de Freud « gouverner, éduquer et psychanalyser ». Renvoi de la question à une philosophie au petit pied : un pessimisme de bon ton, une discrète façon d'évacuer le possible, en le congédiant avec de bonnes paroles. Ma pauvre dame, c'est qu'il y en a, du malheur, sur terre...

Freud : « J'ai très souvent entendu mes malades m'objecter, quand je leur promettais un secours ou une amélioration par le procédé cathartique :

“ Mais vous dites vous-même que mon mal est en rapport avec les circonstances de ma vie, avec mon destin. Alors, comment pourrez-vous m’aider? ” *(toujours la demande simple, la demande insistante).* J’ai alors donné la réponse suivante : “ Certes, il est hors de doute qu’il serait plus facile au destin qu’à moi-même de vous débarrasser de vos maux, mais vous pourrez vous convaincre d’une chose, c’est que vous trouverez grand avantage, en cas de réussite, à transformer votre misère hystérique en malheur banal. Avec un psychisme redevenu sain, vous serez plus capables de lutter contre ce dernier [1]. »

Le beau message, et comme est nouvelle cette morale de l’avenir... Tout l’espoir, c’est de pouvoir lutter contre le malheur désormais avéré. Non, pas même. C’est d’avoir les capacités de lutte contre. Mais quelle réussite, votre misère est devenue un malheur. Mieux : un malheur banal, ce qui vous dépossède de votre singularité de corps, de votre précieuse maladie, le seul moyen que vous aviez, Emmy, Katharina, Anna, vous toutes les hystériques passées entre les oreilles de Freud, de dire vos oppressions de famille. Banal, vous dit-on, et malheur. Après quoi débrouillez-vous, cela ne me regarde plus. Mais luttez, nom d’un chien, soyez courageuse, mes petites, je n’y peux rien si vous êtes malheureuses, au moins je vous aurai

1. *Etudes sur l’hystérie,* P.U.F., p. 247.

appris l'essentiel : votre toux, vos évanouissements, vos sueurs froides et vos vomissements, c'était le résultat de votre malheur.

J'ai beau savoir de moi-même qu'on peut en faire autre chose, qu'il y a autre chose à en faire — et que sans nul doute Freud lui-même en a fait autre chose — j'ai curieusement un doute sur toute l'entreprise, et l'impression qu'il se fout de moi. Qu'il s'en foute, au sens où là n'est pas pour lui l'essentiel, me paraît peu douteux; homme habité par le fantasme d'être homme de science, homme délirant sur sa propre grandeur, construisant pierre après pierre l'édifice théorique qui fut et devint son rêve. Mais qu'il s'en foute, en plus, au sens où on déboute la question par une plaisanterie, et quelle plaisanterie, voilà qui fausse d'entrée de jeu tous les objectifs de la psychanalyse. Honteux, le médecin manqué ne sait pas « guérir » les hystériques; à mi-chemin vers une autre voie, celle qui permettrait d'analyser le malheur et de le transformer avec lui, il quitte la place.

Le flipper de l'Homme aux Loups.

Et cet autre, l'a-t-il fabriqué malade, inépuisable réservoir à symptômes, bête à démontrer, à rendre « probants » les résultats de la psychanalyse, celui qui ne signera plus jamais de son vrai nom inconnu à cette date, mais qui s'affublera lui-même du surnom que lui a donné Freud, l'Homme aux Loups? Fantastique histoire.

Il était une fois un jeune homme russe de bonne famille, malheureux à en crever parce qu'il avait chopé une chaude-pisse avec une domestique. Freud l'écoute, le bouscule un peu, déclare l'analyse terminée : Serge est peut-être toujours blennorragique, sans doute pas, peu importe, il sait — qu'il a envie d'être baisé par son père, que le couple de loups qui le hante est le couple de ses parents, papa-maman un chaud après-midi d'été, maman à quatre pattes mangeant avec sa bouche de derrière le pénis de papa, que de là lui viendront à jamais ses désirs pour les femmes accroupies vues de dos, et qui ça pourrait bien être, sinon les servantes frottant le plancher... Bref, il sait. Et il en sait assez pour quitter discrètement le psychanalyste; l'histoire aurait pu s'arrêter là.

Mais quelques années plus tard, Serge ne va plus bien du tout. Il a toujours cette sacrée constipation sur laquelle pourtant il savait déjà bien des choses (que les lavements administrés lui faisaient l'effet d'un voile qui se déchire, à l'aube d'une nouvelle naissance, lui qui justement était né coiffé), et il retourne chez Freud. Nous sommes en 1919 : Serge n'a plus aucune fortune, il a tout perdu pendant la révolution d'Octobre. L'histoire ne s'arrêtera plus jamais à partir du moment où

Freud décide de lancer une collecte pour le faire vivre, en récompense des services rendus à la psychanalyse.

Lorsqu'on lit la littérature psychanalytique sur cet inépuisable sujet de pendule, on demeure surpris de leur non-surprise. Tous emboîtent le pas : en raison des services rendus... On lui devait bien cela... Voilà l'homme qui a tant fait pour la psychanalyse... Ainsi donc, il allait de soi que ce malade — guéri, non guéri par Freud? — avait droit au plus sensationnel renversement de la psychanalyse : on allait le payer pour avoir été analysé par Freud, pour avoir fait don de ses symptômes à la science. Il allait de soi qu'on devait lui venir en aide, au mépris de toutes les règles formellement édictées par ailleurs, selon lesquelles le patient ne doit avoir aucun rapport, et surtout pas de secours matériel, avec son analyste. On allait le payer pour avoir été malade, ou pour le rester, à vie? C'est en cet endroit que l'histoire de l'Homme aux Loups vire au conte fantastique.

Il est pensionné par les psychanalystes de 1919 à 1925; entre-temps, il a reçu quelques bijoux de famille, il se garde bien de le dire à Freud. Et vers la fin de la pension, le voilà qui développe, comme s'il fallait qu'un symptôme maintienne un lien de famille entre lui et les psychanalystes, suffisamment de symptômes pour retourner sur le divan. Deuxième psychanalyse, avec une femme, Ruth Mac Brunswick. Prudemment et patiemment, elle dépatouille les fixations sur Freud, sur Freud professeur, sur le chien-loup gris du professeur Freud, et laisse Serge guéri — une seconde fois — avec une grande incertitude : sa guérison, son évolution ultérieure dépendront de ses capacités de sublimation. Serge, dès cette époque, était un peintre naïf, représentant à l'infini des branches d'arbre cadrant des paysages, des arbres dénudés, tout semblables à celui sur lequel étaient perchés les terribles loups blancs de son cauchemar, du rêve lié au souvenir du chaud après-midi d'été. Donc, si Serge peut peindre, il ira bien, il fixera l'angoisse latente sur une toile, dérivée de son fantasme.

Décidément, les femmes psychanalystes se désignent d'elles-mêmes comme différentes, dans les plus petites inflexions. Celle-ci ne se livre pas à des hypothèses théoriques; elle a sur son divan un analysé du patron, et il va mal. Alors elle fait son métier de raccommodeuse de pots cassés, et elle le recolle, le pot fissuré par Freud, et elle fait ce qu'elle peut. Au moins se soucie-t-elle de l'avenir de Serge, au moins se préoccupe-t-elle de sa « santé » : « Il est impossible de prévoir si le patient, bien portant depuis un an et demi, demeurera tel. J'inclinerais à penser que sa santé dépend, en grande partie, du degré de sublimation dont il se montrera capable [1]. » C'est l'axe qui l'intéresse,

1. *Revue française de psychanalyse,* numéro spécial sur *l'Homme aux Loups.*

elle, à qui était échue la lourde tâche de succéder à une thérapie manquée de Freud.

Ensuite... ensuite Serge oscille de rechute en rechute; jamais plus ne se cassera le fil solide qui le relie, ombilic, à l'institution psychanalytique. Aux subsides de Freud succéderont, pendant la Deuxième Guerre, les colis de vivres de Muriel Gardiner, qui veille jalousement sur lui, sur ses ultimes secrets, encore aujourd'hui. Gardienne d'un trésor inestimable, un homme momifié dans le souvenir d'avoir été l'un des premiers patients de Sigmund Freud, elle en protège l'accès, surveille, des fois qu'on irait lui faire dire ce qu'il n'aurait pas dit, et qu'on attenterait à la rareté du cas vivant.

Il a maintenant quatre-vingt-seize ans. Cela fait longtemps, très longtemps qu'il signe ses tableaux : « Wolfmann », l'Homme aux Loups; c'est ainsi qu'il signe aussi ses mémoires. Il m'est arrivé plusieurs fois de devoir conter l'histoire de Serge dans sa continuité, à des fins plus ou moins pédagogiques. L'objectif, pour moi, c'était de montrer, par exemple, comment le signifiant, le langage le plus élémentaire, s'inscrit sur un homme et ne le lâche plus. Ainsi, le rôle du V et du W. V : ailes de papillon, dont il avait très peur, s'ouvrant et se fermant, jambes de femme, s'ouvrant et se fermant, dont il avait très peur; V, chiffre romain de la grande horloge, dans la chambre du rêve, marquant l'heure fatidique de cinq heures, l'heure des grandes angoisses. W, deux fois V, l'initiale de Wolff, et il en a rencontré toute sa vie : son maître d'école, un premier dentiste, un second dentiste, s'appelaient Wolff, le loup; W, décomposé en oreilles de loups retournées Λ, Λ; W, initiale de Wespe, la guêpe, dont il écorche le nom pour en faire Espe, ce qui ne veut rien dire, sauf à prononcer S.P., ses propres initiales... Jusque-là, j'arrivais à faire passer quelque chose de mon projet, me heurtant à peine, légèrement, à quelques réticences annonciatrices de la rébellion.

Mais lorsqu'il fallait parler du nez, de son pauvre nez objet du second délire, celui qui l'a amené sur le divan de Ruth Mac Brunswick, les auditeurs commençaient à tordre le leur, de nez. Car Serge est obsédé par une idée fixe : son ravissant nez retroussé est tout abîmé, il y a des points noirs, blancs, rouges, des trous, au point qu'il passe le plus clair de son temps à le regarder dans la glace, à le poudrer, à effacer la poudre pour considérer les dégâts, à l'infini. Il se lamente, sort la comptine maternelle, la plainte d'enfance depuis toujours entendue : « Je ne peux plus vivre ainsi. » Ses troubles de nez commencent le jour où sa mère, débarquant du train, exhibe une verrue noire sur le nez; et puis le professeur X... lui presse le nez malade, et il jouit, et le dit. Déjà, succédant à la première analyse dépouillée par Freud, quelque chose ne passe plus, quelque chose de l'ordre du *trop*.

Quand enfin, empruntant à Nicolas Abraham et Maria Torok l'essentiel de ce qu'ils ont trouvé en allant patrouiller du côté du russe, il faut narrer les jeux interminables autour du mot « Tierka », alors survient dans l'auditoire, chaque fois, une drôle de chose. *Tierka :* en russe, petite sœur, comme il appelait sa sœur Anna, tendrement adorée et détestée, suicidée, entre autres à cause de sa laideur et des boutons sur le nez (tilt) qui la défiguraient. *Tierka :* frotter, brosser, comme les servantes le parquet, les servantes aux grosses croupes comme celle de sa mère dans la chambre (tilt); *Tierka :* diminutif de Thérèse, nom de la femme qu'il épouse, l'ayant trouvée dans une maison de repos où, infirmière, elle était « petite sœur » (tilt). *Tierka,* qui vient de *Terek,* et il s'en va faire un voyage au Caucase, pour aller dans l'endroit où Anna s'est empoisonnée, et là coule un fleuve dont le nom est Terek, mais il ne le savait pas (tilt). Tout cela est vrai : vrai dans l'information, vrai dans la déduction, vrai dans la construction.

Mais ce n'est pas cela qui fait rire. Le rire, d'abord discret, puis immense, et d'abord je ne comprends pas, étonnée, je lève le nez (tilt), jusqu'à ce que l'évidence apparaisse. C'est que cela ressemble à un grand jeu fabriqué; à un de ces jeux où des lumières s'allument quand la boule métallique a touché un point sensible, et fait tilt. Et on a gagné mille points. C'est effectivement ce qu'on appelle un flipper. Programmés, nous le sommes tous; mais Serge a été programmé cette fois par l'institution analytique, comme s'il s'était coulé dans l'appareil, et fabriquait sans relâche les points sensibles sur lesquels les analystes allaient pouvoir faire tilt. Ravis, les psychanalystes; Serge aura bien servi la démonstration psychanalytique. Malade à vie, symptomatique en permanence, il aura été déterminé par Freud, jusqu'à sa mort, qui tarde à venir : il y a toujours quelqu'un, dans l'auditoire hilare, et, dès lors, moi avec, pour remarquer que le « zinzin » de l'Homme aux Loups l'aura au moins bien conservé.

DEDANS

*Eh bien, voilà, j'ai obéi à une loi du genre. Quand on écrit psychanalyse, on n'évite pas cet exercice de style. Il ne m'aura pas échappé : ma petite lecture d'un rêve de Freud, et si c'est le rêve princeps de l'*Interprétation des rêves, *c'est tant mieux. Et puis, obligatoire, on se paye une interprétation supplémentaire d'une des cinq grandes psychanalyses; la mienne, c'est* l'Homme aux Loups. *Si forte est l'installation, désormais irréver-*

sible, du texte freudien comme support de toutes les gloses, que, pour écrire psychanalyse, il faut passer par Freud. Mes raisons sont excellentes, comme les leurs, car bien sûr, il y aura toujours à rajouter, à peaufiner, à montrer que l'on sait, et que l'on a compris, même et surtout ce que Freud n'a pas dit. Dame... le grand jeu, l'autre zinzin, ce ne peut être que de combler les trous du savoir du maître. Mes raisons étaient bonnes : montrer ce qu'est un malade pour Freud, à quel point la guérison était, dans le projet même, un accessoire inutile, et faire apparaître dans une vie d'homme les ravages exercés par cette confusion... Elles étaient bonnes, mais qu'ai-je fait? Un morceau de bravoure de plus, quelques lignes de plus sur cet inconnu dont je ne sais pas le nom, et qui vit, quelque part dans Vienne, dans le seul souvenir des divans perdus...

Allons! Larguons l'ancêtre à la courte barbe, et ses cigares éternels. A force, en ouvrant d'autres livres, venus d'ailleurs, et parlant aussi de psychanalyse, j'ai fini par m'apercevoir qu'il existait d'autres respirations que celle, étouffée et quinteuse, de Freud. D'autres moyens de respirer. Le pédagogue anglais, le soignant par excellence, Winnicott, osait faire à la télévision, des émissions pour les mères, et faire passer des messages minimaux. Par exemple, celui-ci : « La pensée du bébé, quand il mange, c'est le bruit de la cuiller contre l'assiette. » Un vrai matérialiste, Winnicott, et qui cherchait à faire passer la psychanalyse dans les gestes les plus quotidiens; et les mères auront peut-être compris, grâce à ces mots tout simples, que l'absorption de la nourriture était moins importante que son dispositif matériel, et que le jeu auquel il donne lieu. Et cela fera peut-être des anorexiques en moins. Que c'est bête, hein, de se tenir au ras des pâquerettes... J'ai une grande méfiance envers ceux des psychanalystes qui font les dégoûtés — leur grimace, leur moue, leur absence radicale d'oreille en ces moments-là — devant Ménie Grégoire, ou, plus difficile, devant le Dr Françoise Dolto, une qui a plongé les mains dans l'eau de vaisselle. Celles parmi les dames de la psychanalyse qui s'échinent à accéder au « théorique » et tiennent pignon-divan sur rue à ce titre, sont encore plus nauséeuses. Moi aussi, quand je les entends.

« *Vous ne savez pas ce que c'est que l'âme...* »

Cela, c'est un fragment d'opéra. Le vieil Arkel, dépositaire de la sagesse asexuée des vieillards prophétiques, avertit son petit-fils Golaud d'avoir à bien se tenir devant l'agonie de Mélisande. Et comme c'est Maeterlinck, dans son langage, il y a l'âme.

Georg Groddeck aussi emploie ce mot-là. Il sait bien, Groddeck, que c'est un mot de la vieille métaphysique, un mot piège, un mot à qui il faudrait faire la chasse, en toute rigueur. Il a bien compris que c'était là la découverte de Freud, qu'elle avait pour conséquence de faire sauter la différence si ancienne entre le corps et l'âme, et d'introduire ce mot encore trop composé : le « psychosomatique », la capacité du corps à souffrir de l'âme, la misère de l'hystérique, physique, dépendant de son malheur, banal, d'âme. Mais Groddeck veut avant tout se faire entendre. Alors, il déplace la question, l'envoie aux pelotes, et ouvre toutes grandes les portes du langage. « Corporel, psychique... Quelle puissance possèdent les mots! On a cru longtemps — peut-être beaucoup en sont-ils encore persuadés — qu'il y avait le corps humain, habité, comme une demeure, par l'âme, la psychè. » (Il se lance dans l'histoire. Pas pour longtemps.) « Mais, même si on admet cela, le corps en soi ne tombe pas malade, puisque, sans âme, sans psychè, il est mort. Ce qui est mort ne tombe pas malade, c'est tout juste si cela ne tombe pas en pourriture. Seul, ce qui est vivant tombe malade, et comme personne ne conteste qu'on ne donne le nom de vivant qu'à ce qui est à la fois corps et âme — mais excusez-moi, ce ne sont là que paroles oiseuses. Nous n'allons pas nous disputer pour des mots...

Abandonnons ce thème pénible d'une discussion millénaire [1]. »

Bref, il sait être prisonnier du langage, il sait que celui-ci est hérité de siècles d'histoire et d'idéologie, mais il a choisi d'autres moyens pour se faire écouter. Ou plutôt, pour se faire lire. Pour faire lire « le Livre du Ça ».

Il écrit un livre, sous forme de lettres. Le jeu régulier d'une correspondance fictive-réelle, qu'il signe d'un pseudonyme, Patrick Troll. Le genre d'un roman par lettres qui serait aussi un livre de théorie. Tout y est exemplaire. D'abord, l'adresse : il écrit à une femme — oh, bien sûr, il y a de la loucherie là-dedans, cette destinataire est un peu bas-bleu, un peu cruche, un peu « femme-femme », un peu semblable à la fille-amante que l'homme forme. Mais enfin c'est à une femme qu'il s'adresse, comme si c'était aussi la seule destinataire possible, la plus ouverte à ce qu'il cherche à dire, le Ça, l'unité physique-psychique, la force qui fait pousser des boutons, la force qui aime, qui hait, qui souffre, qui meut. Et la première lettre commence ainsi :

« Chère amie, vous souhaitez que je vous écrive, rien de personnel, pas de potins, pas de phrases, mais des choses sérieuses, instructives, voire scientifiques. C'est grave. »

Il n'écrira, d'un bout à l'autre, que du personnel,

1. *Le Livre du Ça,* Editions Gallimard.

il ne racontera que des potins, introduits comme tels « vous souvenez-vous de Mme van Wessels? Voici ce qui lui est arrivé »; il écrira, d'un bout à l'autre, de merveilleuses histoires. Mais commence, naturellement, par la sienne propre. En racontant comment il est devenu médecin. Et un grand soulagement me prend : enfin, il y en a un qui aura simplement mis ses cartes sur table, et conté d'où il venait, et pourquoi. Et il ne se masque pas derrière l'anonymat crypté d'un rêve dont il serait le rêveur, et dont il ne dirait que partie. Non; il expose, il s'expose.

Comment il est devenu médecin. « Je suis devenu médecin parce que mon père l'était. » Un jour, son père, qui avait interdit à ses frères de choisir cette profession, lui demande à lui, insigne honneur, s'il voulait devenir médecin. « Et, comme cette question me distinguait de mes frères, je dis oui. » Plus tard, une vieille dame qui avait bien connu son père décidera de son évolution, disant de lui : « Tout à fait son père, moins le génie. » Comme tout le monde, la même petite histoire banale. Mais il s'en va plus loin dans l'enfance. Certains jeux où il lui fallait, sur ordre de sa sœur, passer une robe de plus à une poupée déjà très couverte, Groddeck petit s'écrie : « Soit, mais tu verras, elle étouffera. » Il se souvient alors qu'il y avait là autant de désir de protéger-guérir la poupée que de la tuer. « Et voilà : vous avez là l'essentiel du médecin; une propension à la cruauté refoulée jusqu'à devenir utile, et dont le censeur est la peur de faire souffrir. »...

Quelque chose s'ouvre, sur la lumière du jour. Vouloir guérir, désir de détruire, les psychanalystes seraient-ils pris dans l'impossible décision où pourtant les implique sans cesse leur pratique?

De là, il file à une méfiance tenace envers la science...

Le désir de savoir, d'en savoir encore plus, pour mieux refouler cette peur désirante de faire souffrir, d'arrêter-maintenir cette souffrance... Oh, les dégoûts de Freud, ses culpabilités qui pèsent sur tout analyste prisonnier du mythe freudien, que faire?

Et la science, cela s'apprend, cela s'apprenait déjà, à l'Université. Qu'on appelait Alma Mater. Plus tard, Groddeck comprend que l'Alma Mater, la mère nourricière, lui rappelle un conflit pour lui inoubliable. Une bête histoire d'allaitement manqué; il est né trop tôt, sa mère venait tout juste d'en finir avec une inflammation des glandes mammaires, et c'est une autre qui l'a nourri. Non qu'il s'en souvienne; mais les mères nourricières, voyez-vous, sont des fausses mères...

Dedans, dehors, impossible : quand le tissu de celui qui s'expose, s'impose et s'interpose, mais où va-t-il avec ses histoires à lui, agaçant, irritant, me reviennent des histoires. Les mêmes, pendant la guerre aussi, celle de 39-40, quelqu'un d'autre que ma mère m'a nourrie, et l'Université me nourrit encore, nourrice sèche; et pourquoi ne suis-je pas celle qui a écrit sur les murs de Nanterre : « Violez votre Alma Mater »...

Un pas plus loin, à la ligne, sans transition. Une autre histoire, apparemment sans rapports. Une femme refuse d'allaiter sa fille. La petite dépérit, refuse la tétine de caoutchouc; la mère devient inquiète, s'occupe de l'enfant. Devenue grande, elle sera le bourreau de sa mère, et n'aura pas d'enfants. « Les gens qui détestent leur mère n'ont pas d'enfants; c'est si vrai que, dans les ménages stériles, on peut sans se tromper parier qu'un des deux époux est l'ennemi de sa mère. Quand on hait sa mère, on redoute son propre enfant... » Et cette femme s'est mariée deux fois avec des hommes qu'elle savait stériles. Pendant de longues années, elle a été tous les jours dans une maternité où elle remplissait les fonctions de garde-malade, attrapant parfois l'enfant d'une autre pour le coller à son sein. Sans transition? De mère en mère, de refus en refus, Groddeck induit son histoire, sans le dire, irréfutable, jouant sur l'association la plus rigoureuse, sans qu'il soit besoin d'autre chose que ces histoire qui s'enchaînent, qui enchaînent ce livre d'histoires du Ça.

La première lettre se termine par la fuite de la nourrice, qui s'appelait Bertha, la resplendissante, dit-il. Elle s'en va, lui donnant comme cadeau d'adieu trois groschen, une grosse pièce qu'il astique soigneusement, une pièce qu'on nommait un « Dreier ».

« Une génération plus tard, j'ai écrit pour mes enfants une petite comédie où apparaissait une vieille fille desséchée, racornie, une pédagogue qui donnait des leçons de grec et prêtait à rire. J'ai donné à cette enfant de mon imagination, à la poitrine plate et au cheveu maigre, le nom de « Dreier ». C'est ainsi que la fuite devant la première douleur sans réminiscence précise de l'adieu a fait de la fille pleine de vie et d'amour et à laquelle j'étais attaché, la représentation de ce qu'est pour moi la science. »

C'était la première lettre.

A Groddeck.

Pourquoi, est-ce parce qu'il s'agit d'une lettre, ai-je brusquement envie de m'adresser à quel-

qu'un qui serait un homme, un amour, regorgeant d'amour comme j'imagine que Groddeck devait l'être, un Groddeck vivant? Pourquoi? Mon père est mort, il est vivant.

Tu écrivais, à Emmy von Voigt : « Si je suis reconnaissant pour quelque chose, c'est d'être né capable de jouir et d'avoir préservé ce don au travers de toutes les circonstances et difficultés de ma vie. » Petit bout de lettre à une femme. Filament fulgurant, où s'accroche en toi la possibilité d'une issue. Une sortie du malheur : ta mère t'a mal nourri, tu as souffert comme tous de la séparation, de tous les sevrages répétés qui auront fait de toi « un-homme-mon-fils », mais tu demeures capable d'affirmer ta capacité à jouir. Et, ce faisant, tu ouvres les portes de la désespérance, celles que Freud tenait claquemurées.

Tu te souviens, Freud, c'était celui qui pouvait définir le bonheur comme « la réalisation retardée d'un désir préhistorique ». Tu vois, encore et toujours du retard, et de l'archaïque. Tu le sais, toi, que le préhistorique n'empêche rien, n'entrave que passagèrement, que le retard se peut rattraper, et cela ne t'empêchait pas d'avoir des angoisses, comme tout un chacun. Mais tu ne les pensais pas radicales, tu pouvais même en trouver la fin, et jouir. Et au vénéré professeur Freud, tu écrivais des lettres mi-figue, mi-raisin, et tu voulais le faire rire. Tu espérais en lui le rire : pas le rire tragique, éclaté, retourné, le revers du refoulement, non, pas cela. Le rire, le corps dilaté, en expansion, le rire heureux, les larmes qui perlent, le corps qui sécrète, en joie. Et il ne t'aimait pas, le vieux Freud compassé, confiné. A Ferenczi, comme cela, en passant, tu disais tes inquiétudes : « Que les collègues à tresse insistent tellement sur l'analyse de chaque aspirant, n'a quand même pas d'autre but que de souligner : Nous autres sages, n'en avons pas besoin — aucun, en effet, n'a été analysé. Mais vous, vous êtes bêtes, alors veuillez avoir l'obligeance de venir et d'écouter ce que des hommes sages peuvent dire sur Œdipe, totem et tabou, les théories sexuelles enfantines, les complexes anaux et de castration, à la suite de Freud, sans le comprendre. " Le monde est rond, et j'en suis le centre ", a coutume de dire Tante Anna, et c'est là, sans doute, le point de vue de tous les êtres humains. Freud appelle cela du narcissisme. J'espère qu'il n'a pas désappris à rire [1]. » Tu sais bien qu'il n'a jamais fait autre chose, que de désapprendre à rire. Tu le sais bien, qu'il nous a refilé sa malheureuse culpabilité, sous couvert de science, et qu'il court aujourd'hui comme un vent de tragique sur la cure analytique. Qu'il faut qu'on y souffre pour que cela soit efficace. Tu le sais bien aussi, pourtant, qu'on peut rire sur un

1. *Le Ça et le Moi,* Editions Gallimard.

divan, et s'ébrouer, et s'épandre, et s'étendre, qu'on y peut être heureux sans honte. Et ce que tu disais des « collègues à tresse » n'a pas changé : autrefois, c'était parce qu'ils n'étaient pas analysés. Maintenant, c'est au nom de leur analyse, c'est là tout. Le discours qu'ils tiennent, c'est le même. Tu les détesterais, sais-tu, eux qui ne savent pas employer les termes de vie : digérer, ventre, boursoufler, des milliers d'inconscients, des tas de petites pustules plaisantes qui mûrissent et éclatent joyeusement sur le corps, et puis ça n'est pas grave, cela passe.

Cela passe. Cela disparaît. Et tu es là pour ça, pour dire que c'est possible, qu'un bouton éclate, dessèche et que la peau repousse, plus lisse et belle qu'avant. Avec Freud, tu le sais, le bouton ne s'en va pas. Il s'indure, et devient une excroissance définitive, et fera partie de l'être humain, à jamais boutonneux, à jamais marqué de traces indélébiles. Toi, je t'aime, toi-tous-les-Groddeck passés et présents. Toi et ton nom de clown, toi qui as pu écrire à des médecins des lettres sublimes, pour les encourager à soigner vraiment parce que, bien sûr, pour toi, guérir, c'était possible. Parce que, même si tu savais d'où te venait ta passion médicale, même si tu en connaissais les racines paternelles, tu t'en foutais, tu passais à une autre pratique du guérir.

Tout cela te semblait évident. Et cela l'est, audelà de la boursouflure d'une « science » freudienne fixée dans le bronze pour le malheur des hystériques passées et à venir. Tu te méfiais de la science prise au sérieux; tu trouvais que Freud était inhibé par la nécessité de la nomenclature, et que, sous « le grand chapeau de l'adulte, qui entoure sa grande tête abrutie », il ne rentre et ne sort rien. Pour toi, penser, c'était au contraire « laisser concevoir et croître » : tout ce qui est du côté de la mère. Ou encore, et c'est la même chose, d'une machine non close, où tout entre et ressort : « Je suis une machine à digérer qui accueille des pensées étrangères et les restitue à nouveau, après due élaboration, sous forme de saucisse. » Un jeu sérieux et vivant.

Ton idée à toi, c'était bien quelque part la même idée que Freud — dame, pas de mystères, les idées ne sont ni à toi ni à moi, elles arrivent à leur heure, la tienne et la sienne marchaient à la même horloge historique : c'était de faire accomplir ladite « guérison » par le malade lui-même. Mais, ce que Freud a durement systématisé par des barrages multiples — plus de regards, plus de geste, rien que de la parole, attention, les yeux, danger, attention, l'amour, le transfert, menace — toi, tu y es installé dans un mouvement où les articulations ne grincent pas. Aucune raideur, jamais.

Tu as écrit aussi une drôle de chose : « Nasamecu ». Cela fait japonais, mais c'est du latin : « *Na*-tura *sa*-nat, *me*-dicus *cu*-rat. » La nature soigne, le médecin guérit. Le médecin n'est qu'intermédiaire entre le bouton et son éclatement, entre le passé et le futur, passeur entre le malade et lui-même. Tu tenais cela de ton patron, Schweninger, un de ceux que j'aurais bien aimé connaître. L'être humain se guérit de lui-même. Et tu débrouilles sans effort, d'un trait de plume, l'écheveau embrouillé des mauvaises consciences qui se défient de la guérison. « Le souci du médecin est de reconnaître toutes les résistances qui nuisent à l'effet de la force curative et de les éliminer autant que possible. Il n'y a pas de doute que le médecin a, depuis toujours, donné de l'aide au malade, et qu'il donnera toujours de l'aide à l'avenir. Mais il est tout aussi certain que l'action du médecin crée ou renforce aussi bien souvent l'inhibition de la force curative. C'est précisément de cela que le médecin doit rester conscient : à savoir, qu'il est un danger pour le malade [1]. » Une aide neutralisée. Mais pas vidée de sa chair vive.

Tout au fond, ils font de même, les nouveaux riches. Tu le sais bien, qu'ils ne s'y dérobent pas, le moment venu. Mis à part quelques bouchers dont se plaignent quelques patients en analyse chez eux, oh, je sais bien, il faut se méfier du dire des analysants, mais il y passe parfois comme un souffle de vrai. Ceux-là, leurs patients en disent :

1. *Ibid.*

« Ils mutilent. » Ou bien : « Ils agissent avec un couteau. » Toujours des images de découpage, comme si leur soignant prenait quelque part grand soin de les découper au bon moment, usant et abusant de la « ponctuation » du discours, celle qui doit intervenir au bon moment, là où ça fait bien mal, là où soi-même on ne s'investit pas comme psychanalyste, là où le patient s'en va. Tels que je les entendais, s'en faire l'écho au sortir d'une séance, dans le malaise d'un mouvement interrompu, au bistouri. Des milliers d'inconscients tranchés, découpés, ponctués, transformés en textes à pattes. La vie? Oh, la vie, ce n'est pas cela qui compte. La vie, c'est le tranchant de l'analyse sur le divan, et que vous produisiez du signifiant, enchaîné là et là, coupé là où il faut, regardez la belle côtelette de langage, saignante, bleue, étalée sur le divan.

Mais la plupart des analystes ne refusent pas l'aide neutralisée dont ils sont investis, fût-ce à leur pensée défendante. Les nouveaux riches sont d'honnêtes médecins qui se font passer pour des gens de lettres. Tant est forte la mythologie du malheur, la très distinguée mythologie qui vous classe un sujet souffrant, et donc du même coup celui qui l'écoute souffrir. En cadence : « Un » signifiant, « Deux » signifiant, le pas du dindon psychanalyste. Son pas de l'oie. Mais il y a aussi le pas de l'amble, et l'accord trouvé, et la porte qui s'ouvre et ne se referme pas. Mais il y a aussi la marche légère, la respiration qui devient sereine, le regard sans larmes, et quelque chose qui ressemble à un bonheur.

Un Jardin des Délices. Un paradis qui ne serait pas, enfin, perdu, mais simplement possible, pas dans l'avenir utopique ou condamné, mais maintenant, tout de suite, dans cet espace où les mots du passé rendent le corps à la vie. Un lieu où des framboises noires s'offrent à toutes les bouches ouvertes, où l'on pourrait loger dans une cerise, y passer une jambe, et cela ne ferait pas un trou; là pousserait une vrille de vigne, et d'autres fruits. Un étang où l'on pourrait plonger la tête sans se noyer, et, jambes grandes ouvertes, jouer avec son sexe et une grosse fraise. Où l'on pourrait danser sous une fleur, bras et jambes mêlées à d'autres, et des lianes caressantes feraient mouvement autour des enlacements. Un espace où l'angoisse ne serait plus la loi, mais un passage, une porte, non plus l'horizon du désir. Je rêve? Oui je rêve, mais je sais aussi les cabanes du malheur, les cagibis où les psychanalystes s'enferment, et leurs patients avec eux. Je rêve, mais en réel : les jardins existent, ils sont ouverts à tous, et Groddeck, le lutin, l'autre Jérôme Bosch, savait faire le partage entre l'Enfer et le reste.

DEHORS DEDANS

Le dedans de ce livre tient à ce qui restera dehors : ma propre analyse, c'est-à-dire le reste de mon histoire. Inénarrable. Que je ne puis narrer. Elle n'aurait pas plus d'intérêt qu'aucune autre, ou le même, dès lors qu'elle n'expliquerait plus où s'est joué ce texte.

Mais : *une analyste femme. Et donc quelque chose qui rend peu à peu perceptibles des différences entre hommes psychanalystes et femmes psychanalystes. Les meilleurs parmi les hommes psychanalystes, les plus chers à mon cœur, ont parfois la grosse glotte pendante du dindon enflé. Les femmes au contraire ouvrent les portes.*

Mais : *je suis arrivée sur le divan en revenant d'Auschwitz. Racines du malheur. J'arrivais du camp transformé en musée. Là où, entre des bouquets de fleurs et des centaines de photos, traînaient dans l'air, près des fours fleuris, des parcelles infimes de cendres depuis longtemps avalées par des milliers de poitrines. Des cendres de famille, cendres suppliciées de mes grands-parents. Et des pas de salle en salle, et le silence. Et surtout : rien. Rien, justement. Un rien si contraire à la vie, que, dès le lendemain, de retour en France, se concluait mon pacte analytique. Formulé comme il se doit, par la règle dite fondamentale; mais elle s'était, sans le savoir, adaptée aux cir-*

constances. Je n'ai pas entendu « Vous devez tout dire », mais il m'a été dit : « C'est vous qui ferez le travail. » Sortir du camp où hésite encore sur la porte l'inscription « la liberté par le travail » et commencer en ce point à construire son histoire, et ce travail, travail forcé, à rendre enfin viable.. .

Le travail s'est fait, en vivant. Un passage a passé. Des choses ont changé, le malheur est devenu un mythe. Distancié, éloigné... passé.

Mais : *c'est ce passage qui m'a ouvert les oreilles sur les étranges discours de mes amis psychanalystes. Tant que je n'y étais pas, sur leur divan, leurs dires me semblaient limpides. La tête fonctionnait bien, toute seule dans son cagibi. Retour de mon origine carbonisée, commence cette parole bafouillante et pourtant assurée, interrompue et pourtant suivie. Je dévidais un cocon laineux et, derrière moi, quelqu'un (une) tenait les mains écartées pour enrouler la laine, et en faire une pelote. A mesure que la pelote grossit, de laine en laine plus enroulée, de plus en plus ronde, vraie pelote enfin, j'entendais toujours mes petits camarades psychanalystes, mais non, je n'entendais plus. Quel rapport entre la pelote et les mathèmes, Joyce, l'écriture, et la mort, la mort sans cesse présente en métaphore, fantôme pompeux et grotesque? Quel rapport, l'inflation théorique et leur littérature, avec le langage de la vie qui s'enroulait en moi? Avec la tête, ça comprenait tou-*

jours; mais aussi se comprenait ce que la tête pouvait fabriquer comme épines dans le cocon laineux.

Et ça vivait ailleurs, et ça mourait dans la bouche des psychanalystes. Une flamme s'étouffait en discours, en livres, en parlote. A force me prit une bouffée. Comme on dit « bouffée de délire », une bouffée de fumée, un souffle qui manque, et qu'on veut retrouver. Une crampe de la pensée, une odeur de colère. Ce truc merveilleux dont Freud a la paternité, ils étaient en train d'en faire cette dérisoire mascarade, et s'installaient tout doucement à la place des professeurs. Alors, quoi, toujours et encore la même chose? Ils avaient de quoi faire du neuf avec du vieux, et laissaient filer le neuf dans les vieilles pantoufles, usées jusqu'à la corde, des écrivains et des universitaires? A l'aide, Groddeck, toi dont les oreilles tintaient à ce mot, toi qui n'en avais pas honte!

« Former des êtres qui aident, cela doit être le motif directeur. Car "aide" est le cri qui, par la suite, frappera dans la vie des milliers de fois l'oreille du médecin; et il ne le peut pas, s'il ne l'apprend pas. Ne faites pas commencer le jeune homme dans la salle de dissection. Que les morts enterrent les morts. »

Ainsi en soit-il. Des vieux et des nouveaux riches. Fossoyeurs de tous les divans, laissons-les enterrer des morceaux morts de la psychanalyse. Dedans ou dehors ses institutions, elle saura bien sortir du cimetière théorique. Et si un malin démon sorti des jardins de Groddeck m'a fait écrire sur son tombeau, c'est pour qu'il soit bien clair qu'il est plus vif que jamais, juché sur la pierre où se gravent ces mots, souriant encore.

Avertissement

Je suis communiste. Ce livre se publie sous le sigle d'une collection qui s'est rendue célèbre par ses attaques contre le marxisme et les sociétés qui en représentent des applications. Comme beaucoup, j'ai critiqué, parfois avec violence, les idées qui s'exprimaient là ou ailleurs, et qui faisaient recette. Mais, lorsque ces critiques ont commencé à s'attaquer aux personnes elles-mêmes jusque dans leur apparence physique, me sont venus un soupçon et une agitation. Car, si la polémique est nécessaire et féconde, dès lors qu'elle touche aux porteurs de pensée, et non plus aux pensées elles-mêmes, elle se détruit; elle porte atteinte à la liberté d'expression, à quoi j'ai toujours tenu, à quoi mon parti m'a rendue encore bien plus sensible.

J'ai donc commencé à réfléchir autrement. Si ces idées faisaient fortune, ce n'était pas seulement le fait d'une mode ou d'une bonne diffusion publicitaire; au demeurant, je me suis toujours méfiée de ce genre d'arguments, au nom desquels les belles âmes ont souvent évacué l'essentiel. Or, dans ce bric-à-brac publié sous le nom de « nouvelle philosophie », je ne trouvais rien de nouveau vraiment, sauf peut-être, sur un plan autre, un discours à la première personne. Un Je qui écrivait, souvent en se référant lui-même au mythique surgissement de la parole de Mai. Une parole débridée et sans méthode.

Cela concordait, pour moi, avec un agacement, une pléthore : le temps des passementeries théoriques et des broderies savantes avait empli jusqu'à ras-bord l'histoire des idées. La théorie, j'y tiens autant qu'à mon appartenance politique et au bonheur. Mais on pouvait la dire autrement, on devait lui rendre la vie. L'expérience psychanalytique ouvrait sur ce terrain des voies que le discours psychanalytique, lui, n'ouvrait plus. Et la psychanalyse, dans sa théorie et sa pratique, m'a toujours paru liée avec le marxisme dans sa partie vivante, celle qui justement échappe aux nouveaux philosophes. Ce sont deux théories et deux pratiques du changement, l'une singulière, l'autre liée aux masses, toutes deux historiques : pour moi indissociables. Pour moi, le marxisme est vivant, en changement, ouvert, non désespéré, non désespérant. Et la subjectivité, loin d'être la parole qui le détruirait, le peut dire historiquement. S'effectue donc ici une confrontation, ou quelque chose qui ressemble à un vieux mot, aussi dévalué que le bonheur : le dialogue. Le clivage politique le commande; dans la discussion d'idées comme dans la pratique publique de chacun. Et, s'il faut revenir à une théorie vivante, s'il faut penser le marxisme là où, de toute évidence, il s'est montré défaillant, les nouveaux philosophes y auront aidé. Ce n'est d'ailleurs pas leur affaire, c'est celle de tous. Et donc la mienne, comme communiste.

C.C.

TABLE DES MATIÈRES

CET OUVRAGE A ÉTÉ ACHEVÉ
D'IMPRIMER LE 29 MARS 1978
PAR FIRMIN-DIDOT S.A.
PARIS-MESNIL

Dépôt légal : 2e trimestre 1978
N° d'édition : 4840
N° d'impression : 2240
ISBN 2.246.00596.5